100
infos à connaître
LA PLANÈTE TERRE

100
infos à connaître

LA PLANÈTE TERRE

Peter Riley

Consultant : Clive Carpenter

Piccolia

4, avenue de la Baltique
91946 Villebon – France
Dépôt légal : 3ème trimestre 2006
Loi n°49-956 du 16 juillet 1949
sur les publications destinées à la jeunesse.
Imprimé en chine

Remerciements :
aux artistes qui ont contribués
à l'élaboration de ce titre

Jim Channell - Kuo Kang Chen - Richard Draper - Chris Forsey -
Mike Foster/Maltings Partnership - Studio Galante - Alan Hancocks -
Kevin Maddison - Janos Marffy - Terry Riley - Martin Sanders -
Mike Saunders - Rudi Vizi - Bettmann/CORBIS -
Roger Wood/CORBIS - Dreamworks/Universal/Pictorial Press -
K M Westermann/CORBIS - Bryna/Universal/Pictorial Press -
Dreamworks/Universal/Pictorial Press

Sommaire

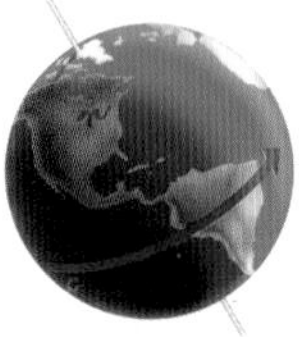

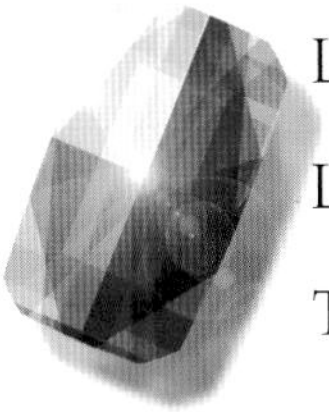

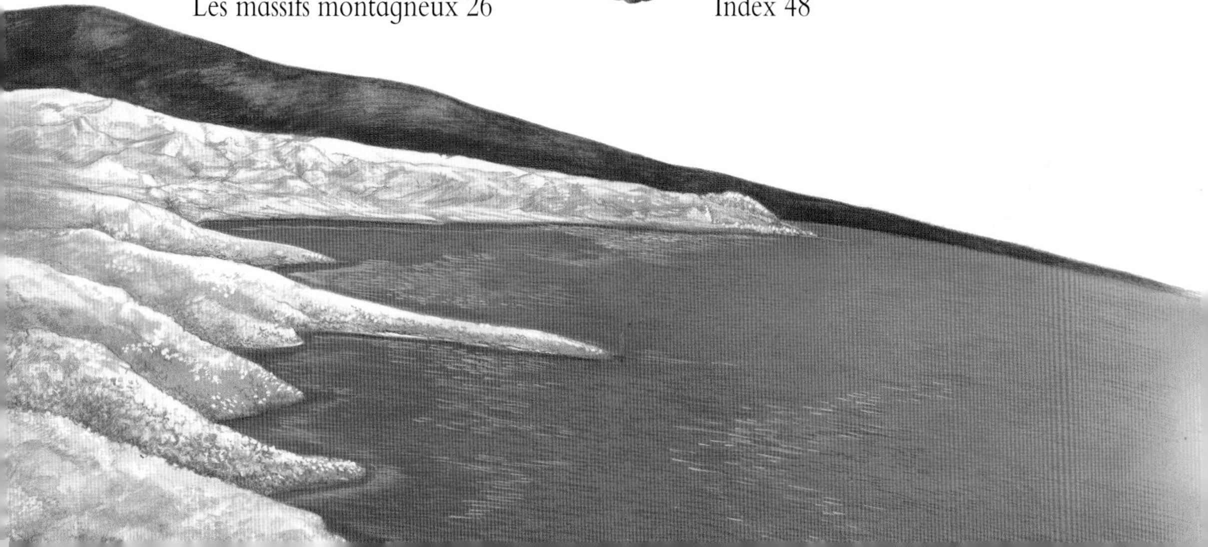

Une boule qui traverse l'espace à toute vitesse

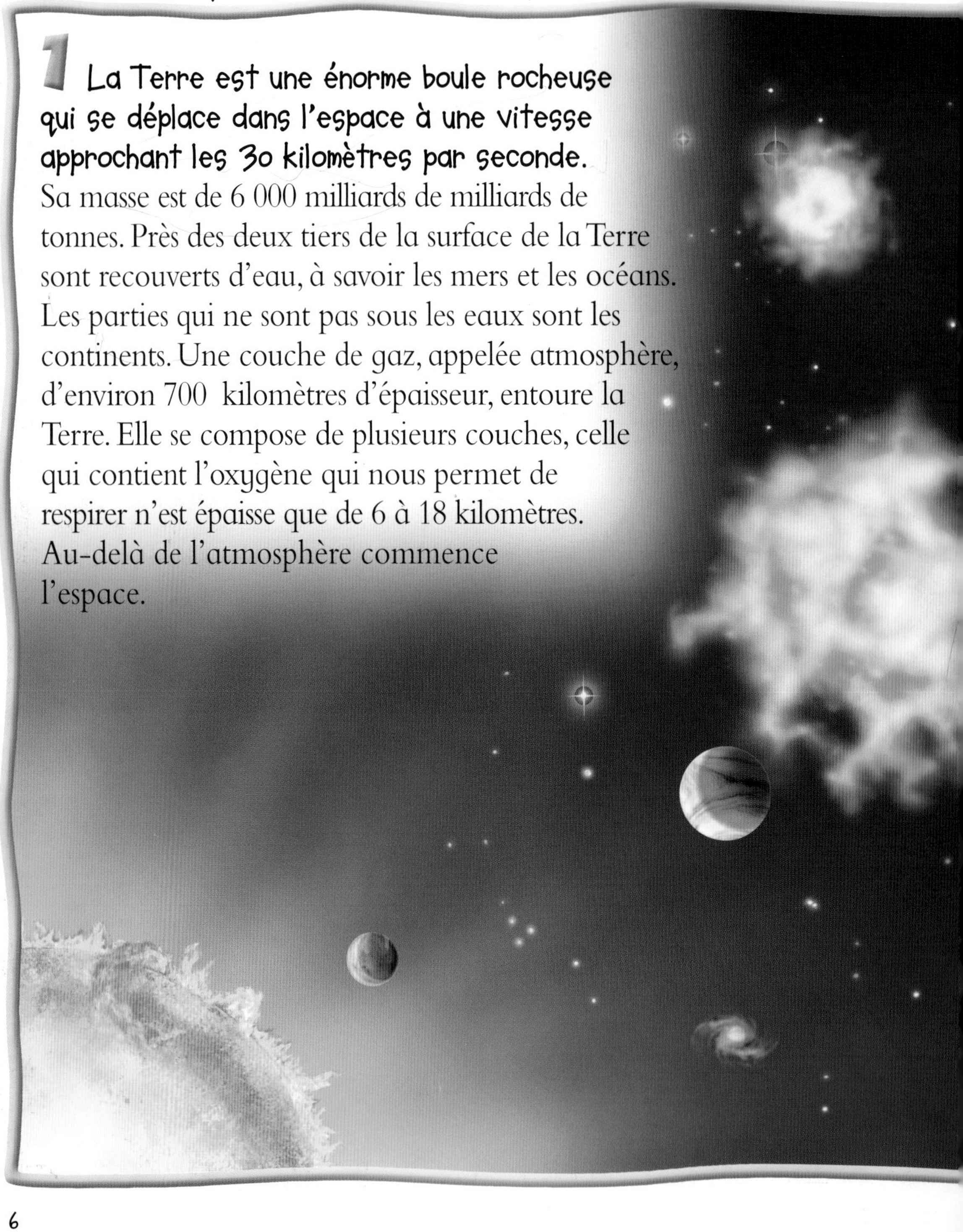

1 La Terre est une énorme boule rocheuse qui se déplace dans l'espace à une vitesse approchant les 30 kilomètres par seconde. Sa masse est de 6 000 milliards de milliards de tonnes. Près des deux tiers de la surface de la Terre sont recouverts d'eau, à savoir les mers et les océans. Les parties qui ne sont pas sous les eaux sont les continents. Une couche de gaz, appelée atmosphère, d'environ 700 kilomètres d'épaisseur, entoure la Terre. Elle se compose de plusieurs couches, celle qui contient l'oxygène qui nous permet de respirer n'est épaisse que de 6 à 18 kilomètres. Au-delà de l'atmosphère commence l'espace.

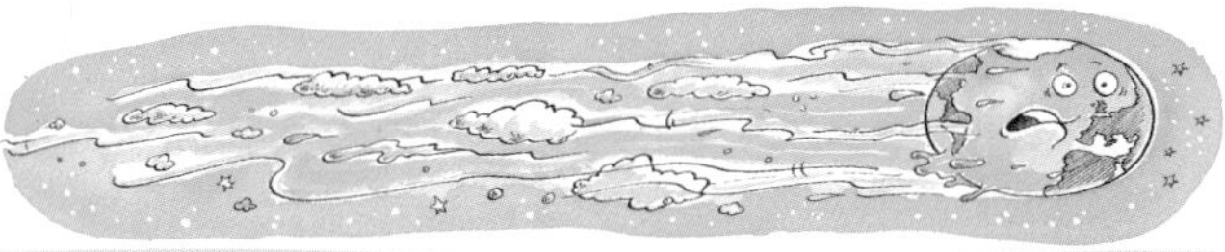

D'où vient la Terre ?

2 Un nuage est à l'origine de la Terre. Les scientifiques pensent que la formation de notre planète, il y a 4,5 milliards d'années, est le résultat d'un immense nuage de gaz et de poussière. Une étoile a explosé à proximité de ce nuage et l'a fait tournoyer. Des gaz se sont accumulés en son centre et ont formé le Soleil. La poussière tourbillonnant à toute vitesse autour du Soleil s'est amalgamée pour former des morceaux de roche. Au fil du temps, les roches sont entrées en collision pour former les planètes. La Terre est l'une d'entre elles.

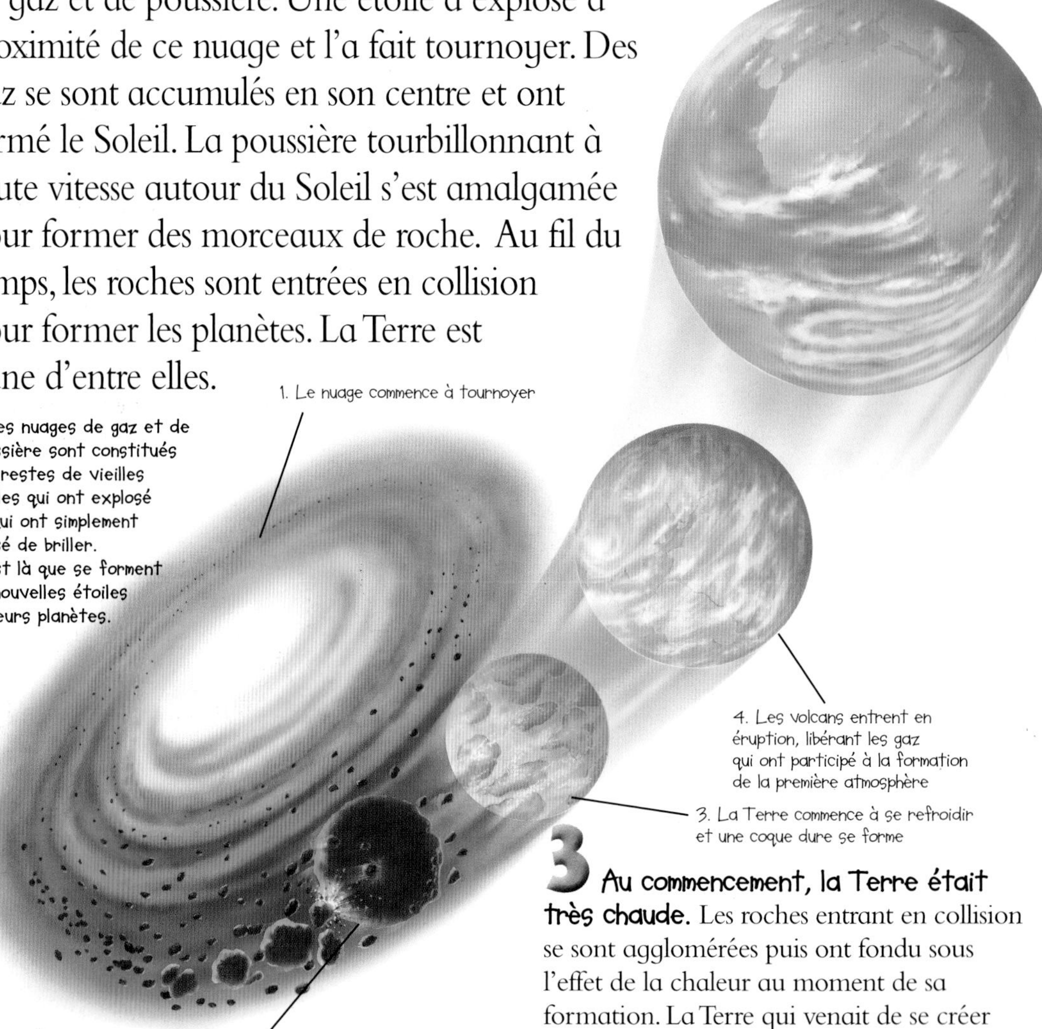

▶ Les nuages de gaz et de poussière sont constitués des restes de vieilles étoiles qui ont explosé ou qui ont simplement cessé de briller. C'est là que se forment de nouvelles étoiles et leurs planètes.

3 Au commencement, la Terre était très chaude. Les roches entrant en collision se sont agglomérées puis ont fondu sous l'effet de la chaleur au moment de sa formation. La Terre qui venait de se créer était constituée d'un noyau de roches en fusion sur lequel flottait une fine coque résistante formée de matières plus légères.

4 Un nombre impressionnant de gros rochers se sont écrasés sur la Terre : les météorites. Elles ont laissé à sa surface des trous ronds, appelés cratères. C'est la même chose sur la Lune ; observe-la avec des jumelles, tu verras les cratères formés par les rochers qui l'ont heurtée.

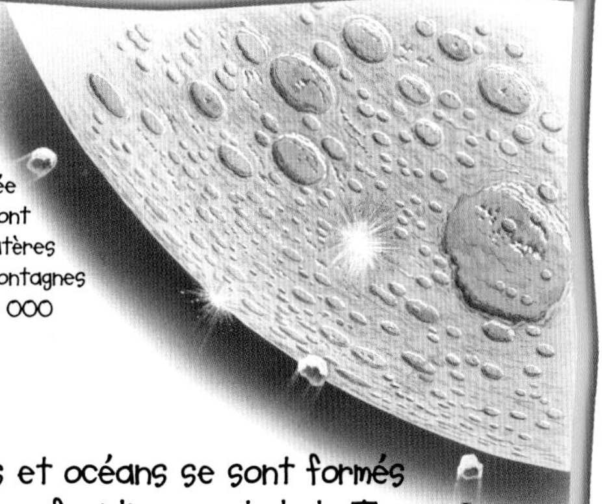

▶ La Lune a également été heurtée par des rochers qui ont formé d'immenses cratères et des chaînes de montagnes pouvant atteindre 5 000 mètres de haut.

5 Les mers et océans se sont formés au moment du refroidissement de la Terre. Les volcans sont entrés en éruption, laissant échapper la vapeur, les gaz et les rochers accumulés au centre de la Terre. Grâce au refroidissement progressif de notre planète, la vapeur s'est transformée en gouttelettes d'eau puis en nuages qui ont déversé, pendant des millions d'années, la pluie nécessaire à la formation des mers et des océans.

▼ Les volcans en éruption et les tempêtes violentes ont participé à la formation de l'atmosphère et des océans. Ceux-ci ont fourni l'énergie nécessaire au commencement de la vie sur la Terre.

INCROYABLE !

Des millions de roches qui fonçant dans l'espace, entrent en collision avec l'atmosphère de la Terre. Parmi ces météorites, seules les plus grosses peuvent causer d'importants dégâts en touchant le sol.

Tournicoti, tournicota

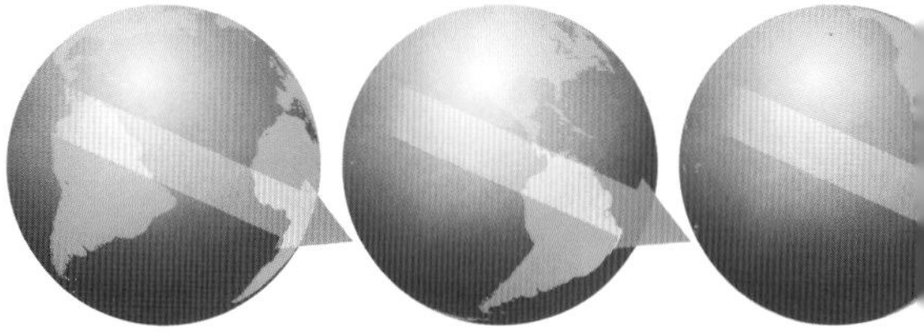

6 La Terre ressemble à une immense toupie. Elle continue de tournoyer puisqu'elle est le résultat d'un tourbillon de gaz et de poussière. L'axe qui passe par ses pôles est incliné sur le plan de l'orbite. Il faut 24 heures à la Terre pour effectuer un tour sur elle-même ; cela correspond à une journée.

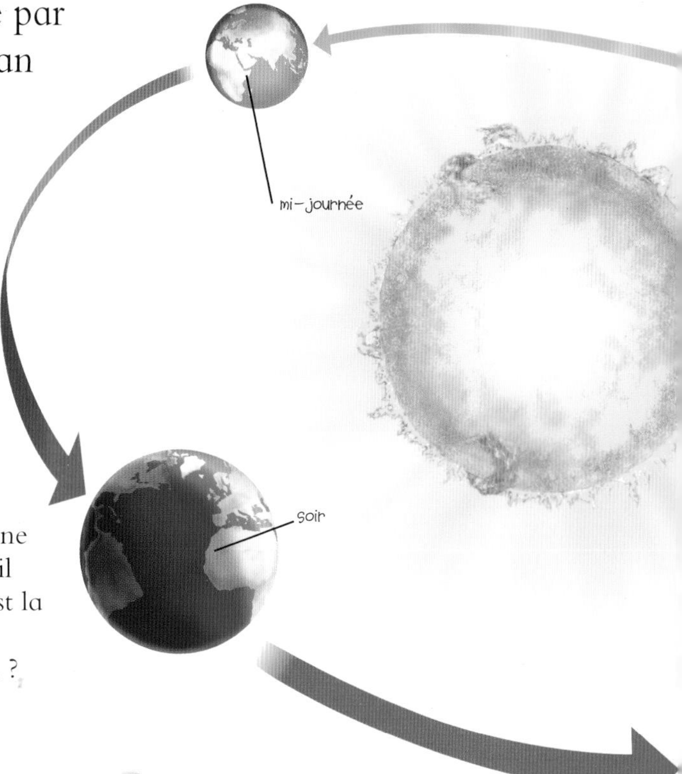

7 La rotation de la Terre explique le phénomène du jour et de la nuit. Chaque face de la Terre se tourne vers le Soleil puis s'en détourne quotidiennement. Lorsqu'une partie de la Terre fait face au Soleil, il fait jour. Lorsqu'elle s'en éloigne, c'est la nuit. Actuellement, chez toi, la Terre est-elle face ou dos au Soleil ?

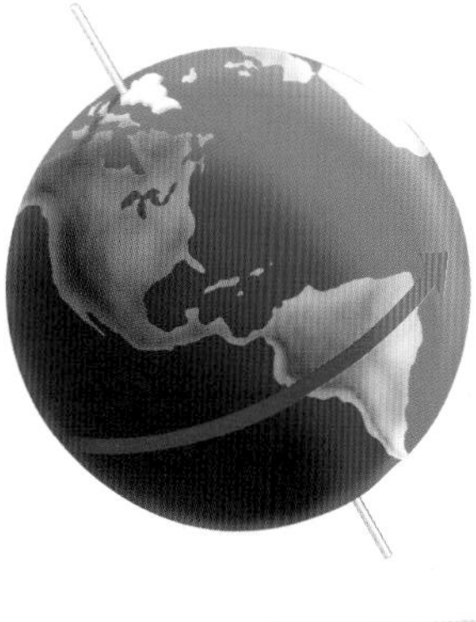

◀ Si tu es dans l'espace et que tu observes une face de la Terre, tu noteras que notre planète tourne de gauche à droite, si tu l'observais du pôle Nord, elle paraîtrait donc tourner dans le sens inverse des aiguilles d'une montre.

8 La Terre tourne sur ses pôles. Les pôles sont deux points situés aux extrémités opposées, à savoir le pôle Nord et le pôle Sud. Ces régions sont si froides qu'elles sont tout le temps recouvertes de glace et de neige.

▲ La Terre tourne autour du Soleil selon une trajectoire appelée orbite. Ce trajet dure une année, pendant laquelle elle tourne 365,25 fois sur elle-même.

▲ Alors qu'une partie de la Terre est dans la lumière du Soleil, l'autre est dans l'obscurité. Le passage à la lumière correspond au matin, le retour à l'obscurité au soir.

FABRIQUE UNE BOUSSOLE

Une boussole sert à indiquer la direction des pôles Nord et Sud.

Tu auras besoin de :

un bol rempli d'eau un morceau de bois
une barre aimantée une vraie boussole

Place le morceau de bois dans l'eau et pose l'aimant dessus. Veille à ce qu'ils ne touchent pas les bords du bol. Lorsque le morceau de bois est immobile, vérifie que la direction indiquée par l'aimant est la même que celle de ta boussole, en prenant bien soin de la placer sur une surface plane. Elle t'indiquera la direction des pôles Nord et Sud.

9 La Terre en rotation est pareille à un aimant.

La Terre contient du fer liquide qui se comporte comme un aimant, avec un pôle Nord et un pôle Sud. Ce sont ces pôles qui agissent sur l'aimant d'une boussole.

▲ Ces lignes indiquent la puissance d'attraction de l'aimant au cœur de la Terre.

Au centre de la Terre

10 La Terre se compose de différentes parties. Il y a d'abord une fine croûte rocheuse, suivie d'une partie intermédiaire solide (le manteau), puis le cœur appelé noyau. La partie extérieure du noyau est liquide mais l'intérieur est constitué de métal solide.

11 Au centre de la Terre, se trouve une énorme boule de métal : le noyau interne. Celui-ci mesure 2 500 kilomètres de diamètre et est constitué essentiellement de fer ainsi que de nickel en quantité moindre. Il affiche une température incroyable de 6 000 °C, suffisante pour faire fondre les métaux. Ceux-ci restent néanmoins à l'état solide, dans le noyau interne, en raison de la forte pression exercée par les autres parties de la Terre.

12 Autour du cœur de la Terre flotte une couche liquide et chaude de fer et de nickel. Il s'agit du cœur externe, d'environ 2 200 kilomètres d'épaisseur. La boule métallique (noyau interne) et la couche de métal liquide (noyau externe) tournent à des vitesses différentes de celle de la Terre.

▼ Si la Terre pouvait être découpée, voilà ce que tu verrais à l'intérieur. Ses couches successives ressemblent à celles d'un oignon.

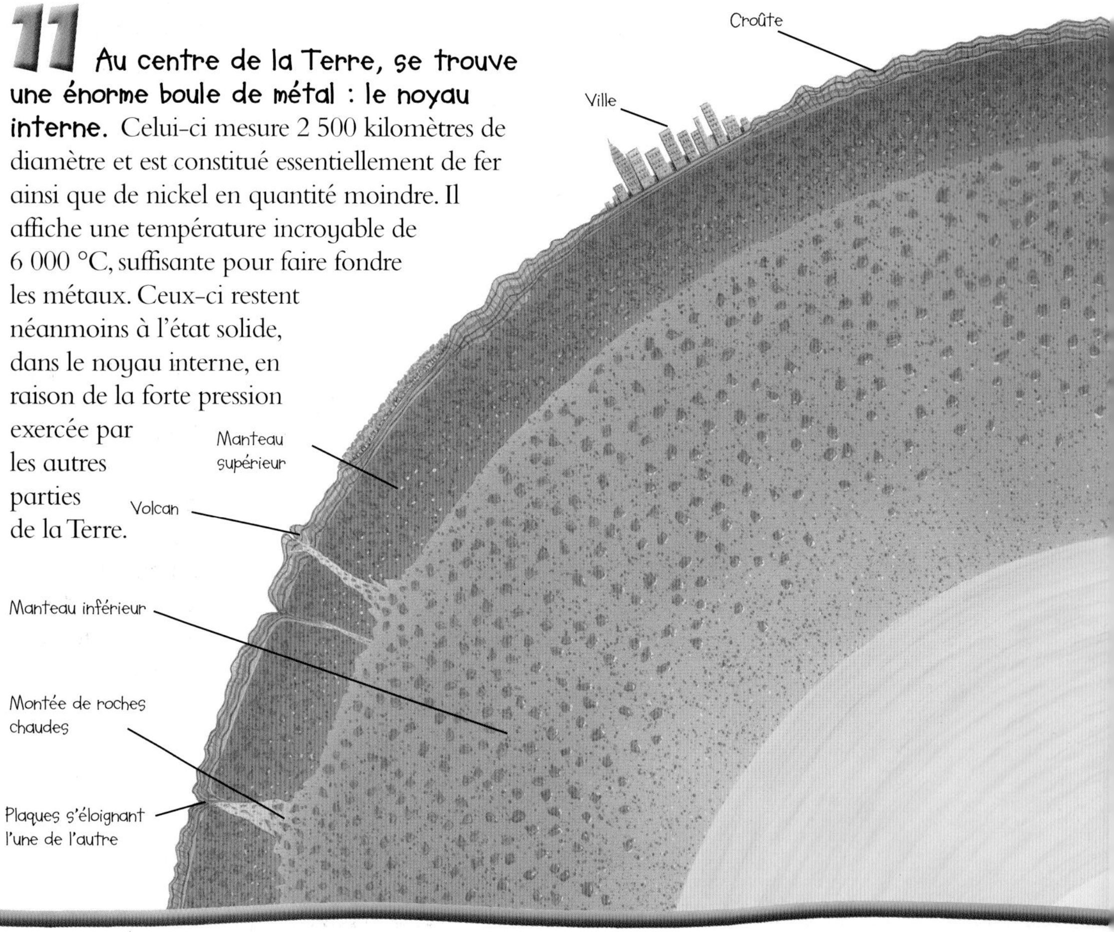

13 **L'élément le plus important de la Terre est le manteau, d'une épaisseur de 2 900 kilomètres.** Cette couche se trouve entre le noyau et la croûte. Le manteau dit supérieur, se trouve à proximité de la croûte et est composé de roches se déplaçant lentement.

14 **La surface de la Terre est recouverte d'une croûte,** continentale, d'une part, mesurant entre 20 et 70 kilomètres d'épaisseur et essentiellement composée de granite, et océanique, d'autre part, d'environ 8 kilomètres d'épaisseur, qui forme le fond des océans et contient principalement du basalte.

15 **La croûte est divisée en immenses dalles, appelées plaques tectoniques,** entièrement ou partiellement recouvertes d'eau. La plaque Pacifique est presque entièrement immergée. Les vastes zones de terre sont appelées continents, au nombre de sept : Afrique, Amérique du Nord, Amérique du Sud, Antarctique, Asie, Europe et Océanie.

16 **Les continents se déplacent, mais très, très lentement.** Le manteau supérieur, légèrement mobile, entraîne les plaques situées à la surface de la Terre. Les continents bougent donc en même temps que ces plaques. Celles-ci, à certains endroits, s'entrechoquent. Ailleurs, d'autres s'éloignent les unes des autres. L'Amérique du Nord s'éloigne de l'Europe de trois centimètres par an !

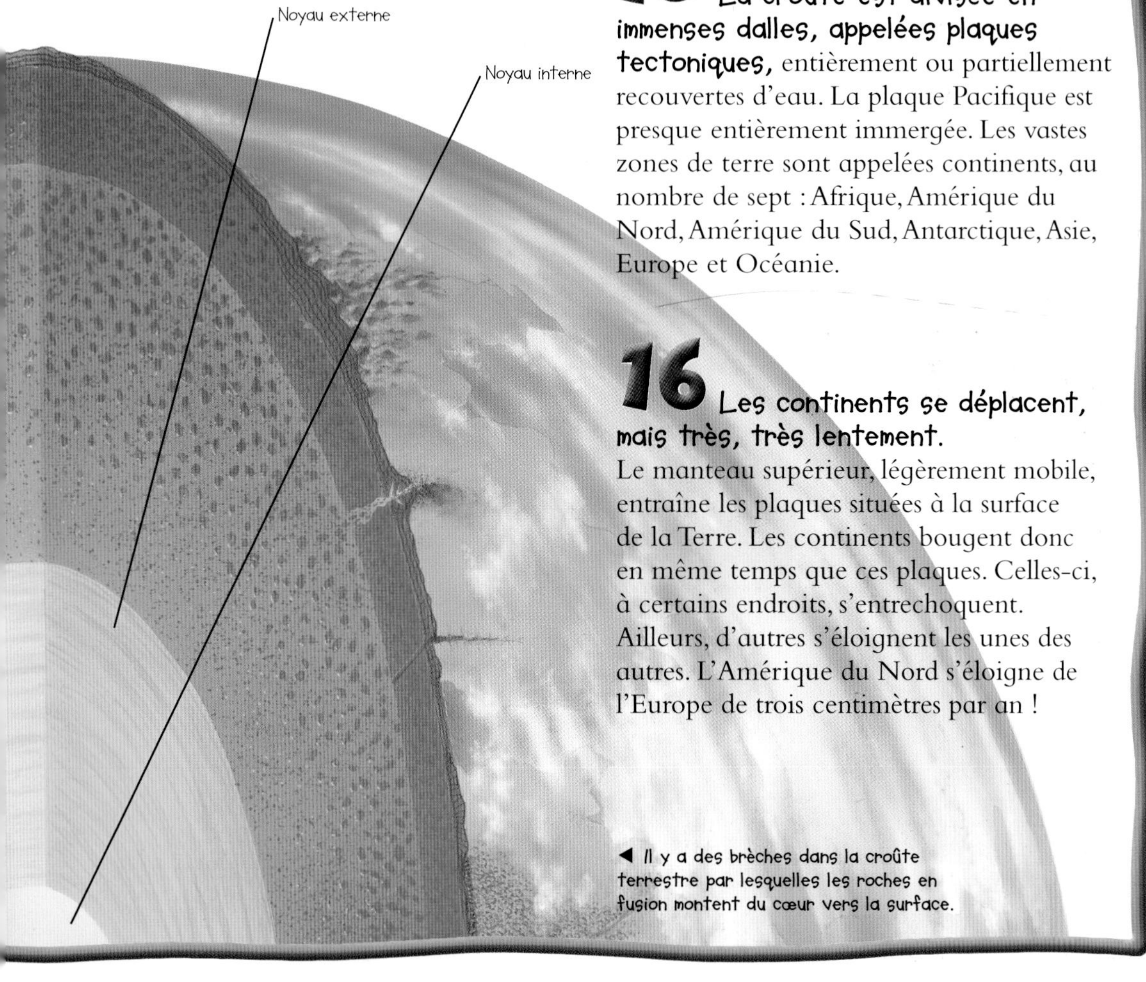

◀ Il y a des brèches dans la croûte terrestre par lesquelles les roches en fusion montent du cœur vers la surface.

Roches en fusion

17 Dans certaines régions, des roches chaudes, à l'état liquide, jaillissent de la surface de la Terre ; il en résulte des volcans. Sous le volcan s'étend un vaste espace rempli de roche fondue (liquide) : il s'agit de la chambre magmatique. La forte chaleur qui y règne entraîne l'émission de gaz. La pression de ces gaz s'accumule à l'intérieur de la chambre puis devient trop forte et libère dans une énorme explosion la lave. La lave, composée de cendre, vapeur et roche en fusion, s'échappe du volcan : c'est une éruption.

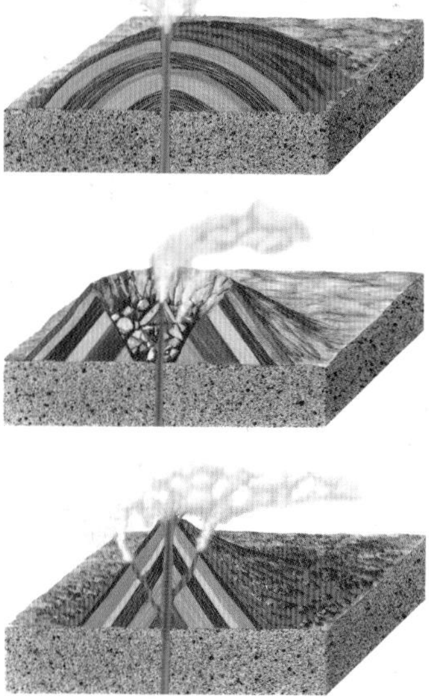

▲ Les volcans illustrés sont un volcan en bouclier (en haut), un volcan à cratère (au milieu) et un volcan en cône (en bas).

18 Les volcans, de formes variées, entrent en éruption de différentes manières. La plupart ont un conduit central appelé cheminée qui monte jusqu'à l'évent. Dans d'autres, notamment à Hawaï, il s'échappe de la lave dont les coulées forment un dôme (c'est ce que l'on appelle un volcan en bouclier). Chez certains, la lave est plus épaisse et, lors de l'éruption, les gaz présents dans la lave produisent des explosions et des projections de cendres qui retombent sur le sol à proximité du trou : c'est un volcan en cône. Un caldeira ou volcan à cratère provient de l'explosion de la partie supérieure d'un volcan en cône et de son immersion dans la chambre magmatique.

◀ Lorsqu'un volcan entre en éruption, les roches chaudes au cœur de la Terre s'échappent sous forme de rivières de lave, cendres, fumées et projections de morceaux qu'on appelle bombes volcaniques.

20 Les roches chaudes n'atteignent pas toujours la surface. Les énormes morceaux de roche qui restent coincés dans la croûte sont des batholites ; ils se refroidissent lentement et forment de gros cristaux qui eux-mêmes, lorsque la température a bien diminué, constituent le granite. Au fil du temps, la surface de la croûte peut s'user et laisser apparaître le batholite.

19 Il existe des volcans sous la mer. Lorsque les plaques de la croûte terrestre se séparent, la lave s'écoule des volcans du rift (fossé) pour remplir la brèche. La lave chaude refroidit très rapidement au contact de l'eau de mer et forme des morceaux en forme d'oreiller appelés d'ailleurs lave en oreiller.

FABRIQUE TOI-MÊME UN VOLCAN

Tu auras besoin de :

bicarbonate de soude, une bouteille en plastique, un plateau, une carafe, quelques gouttes de colorant alimentaire rouge, vinaigre, sable

Mets une cuillère à soupe de bicarbonate de soude dans la bouteille en plastique. Place-la au centre du plateau et verse du sable tout autour. Mélange quelques gouttes de colorant alimentaire à une demi-cuillerée de vinaigre. Verse le vinaigre dans une carafe puis dans la bouteille. Après quelques instants, le volcan doit entrer en éruption avec de la lave écumante rouge.

Bouillons et bulles

21 On trouve des geysers sur certains volcans anciens. Lorsque ces vieux volcans s'effondrent, les débris rocheux se déposent sur les roches en fusion dans l'ancienne chambre magmatique, formant ainsi un ensemble de conduits et de cavités. L'eau de pluie s'infiltre, remplit ces cavités et se met à bouillonner. La vapeur s'accumule, la pression monte et expulse l'eau dans les conduits vers une ouverture en forme de cône. La vapeur et l'eau jaillissent par l'orifice, formant une fontaine pouvant atteindre jusqu'à 60 mètres de haut.

▲ Les geysers sont courants dans les régions volcaniques de la Nouvelle-Zélande, en Océanie. Dans certaines régions, on s'en sert même pour produire de l'électricité.

22 Les sources chaudes des océans peuvent être des « fumeurs noirs ». Les fumeurs noirs se forment à proximité des volcans de rift, où l'eau est chauffée par les chambres magmatiques. L'eau bouillante dissout les composants chimiques des roches, prenant une couleur noire lorsqu'ils se refroidissent au contact de l'eau de mer. Ils s'élèvent comme des nuages de fumée sortant de cheminées.

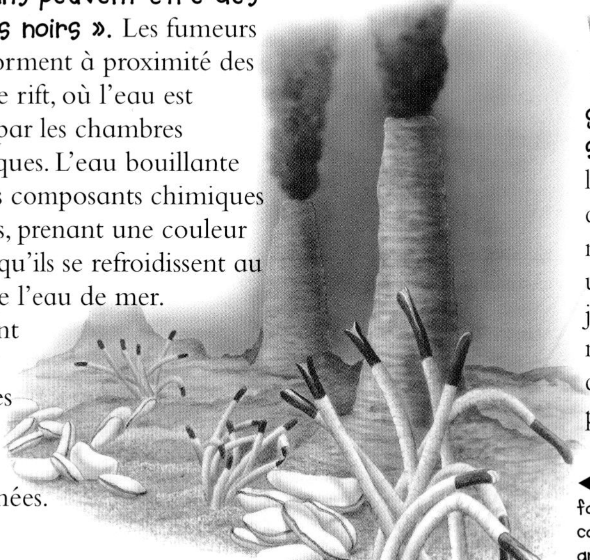

◀ Les cheminées d'un fumeur noir se sont formées au contact de l'eau chaude et des composants chimiques de la roche. Ils se sont amalgamés pour former un conduit rocheux.

23 L'eau bouillonne gentiment à la surface d'une source chaude. À mesure que l'eau est chauffée dans la chambre magmatique, elle monte par un conduit jusqu'à un bassin. Celui-ci peut être joliment irisé en raison des minuscules plantes et animaux appelés algues et bactéries, présents dans ces eaux chaudes.

24 La boue rend la peau douce et lisse.

Une mare de boue résulte de la décomposition de roches par la vapeur. Ces débris rocheux se mélangent à l'eau pour donner de la boue et former une mare. Des émanations chaudes (vapeur venant d'eau bouillante des profondeurs de la Terre) affleurent à la surface et la font bouillonner. Certaines mares sont suffisamment tièdes pour pouvoir s'y baigner.

▼ Mare de boue

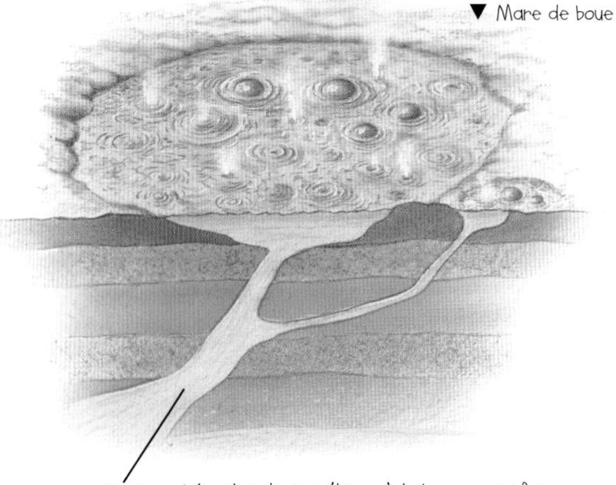

▲ Les bulles d'une mare de boue s'enflent car elles sont remplies de vapeur. Elles finissent par éclater et la vapeur s'échappe dans l'air.

26 En Islande, la vapeur présente dans le sous-sol sert à produire de l'électricité.

La vapeur est envoyée vers des centrales électriques pour faire fonctionner des génératrices. L'électricité alimente les équipements électriques tels qu'éclairage, téléviseurs et ordinateurs.

25 De la vapeur et des émanations odorantes peuvent s'échapper de trous situés dans le sol.

Ce sont des fumerolles. Depuis l'époque romaine, la vapeur de fumerolles est utilisée pour les bains de vapeur et peut s'avérer bénéfique pour les articulations et les poumons.

▼ Fumerolle

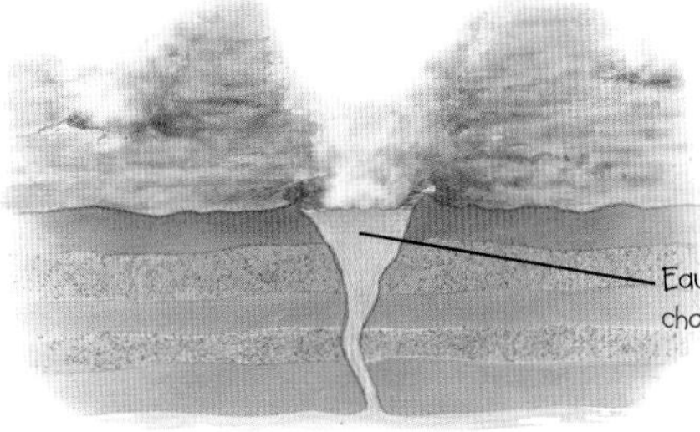

▲ Sous une fumerolle, l'eau devient si chaude qu'elle se transforme en vapeur qui se dégage dans les airs.

FABRIQUE UN GEYSER

Tu auras besoin de :

un seau un entonnoir en plastique
un tuyau en plastique

Remplis un seau d'eau. Mets l'entonnoir en plastique à l'envers et plonge-le presque entièrement sous l'eau. Prends le tuyau en plastique et place une de ses extrémités sous l'entonnoir. Souffle dans l'autre extrémité ; un jet d'eau et d'air jaillira de l'entonnoir. Prépare-toi à être éclaboussé !

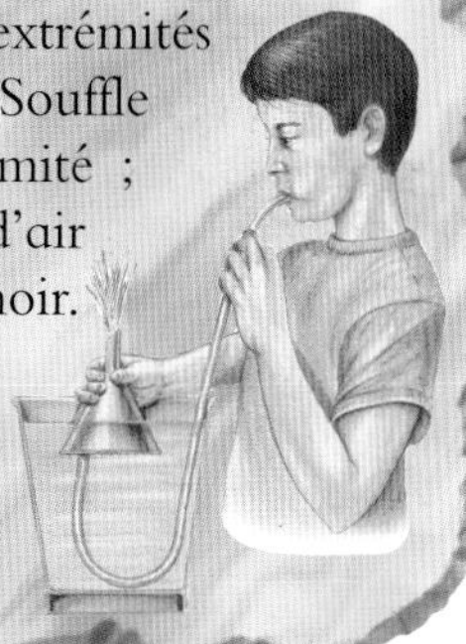

La décomposition des roches

27 La glace a le pouvoir d'effriter les roches.

27 La glace a le pouvoir d'effriter les roches. Par temps froid, l'eau de pluie s'infiltre dans les fissures rocheuses, gèle et occupe donc plus d'espace. La glace pousse sur la roche avec une telle puissance que les fissures éclatent. Avec le temps, une roche peut se briser en milliers de minuscules morceaux.

Roches brisées sous l'action de la glace

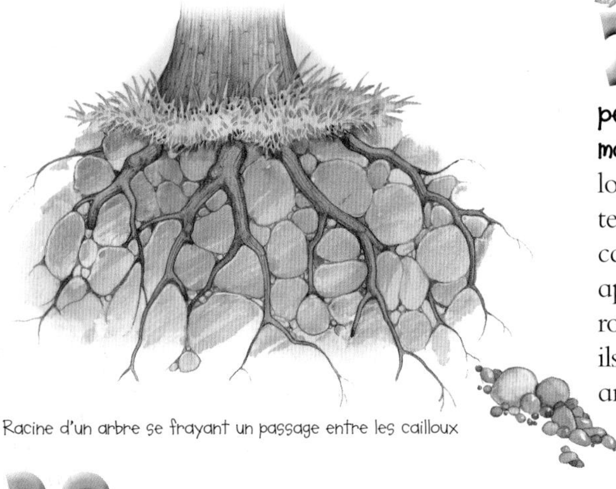

Racine d'un arbre se frayant un passage entre les cailloux

28 Des organismes vivants peuvent réduire les roches en morceaux. Parfois, la graine d'un arbre se loge dans une fissure rocheuse. Au fil du temps, l'arbre pousse et ses grosses racines cassent la roche. De petits végétaux appelés lichens se collent à la surface des rochers pour atteindre les minéraux dont ils ont besoin pour vivre. Lorsque des animaux, les lapins par exemple, creusent un terrier, ils sont susceptibles de fragmenter les roches souterraines.

29 Réchauffement et refroidissement successifs peuvent réduire les rochers en éclats. Lorsqu'une roche se réchauffe, elle gonfle légèrement. Lorsqu'elle se refroidit, elle reprend sa taille initiale. Ces variations de température font éclater certaines roches. Parfois, de gros éclats forment des couches semblables à des pelures d'oignon.

▶ Les éclats rocheux se détachent de manière irrégulière et forment des stries à la surface de la roche.

30 Les glaciers disloquent et entraînent les rochers.

Les glaciers disloquent et entraînent les rochers. Les glaciers sont d'immenses zones de glace qui se forment en altitude. Ils glissent lentement à flanc de montagne puis fondent. À mesure que le glacier se déplace, il brise net certaines roches et les entraîne avec lui. D'autres sont pulvérisées et transportées sous forme de gravier et de sable.

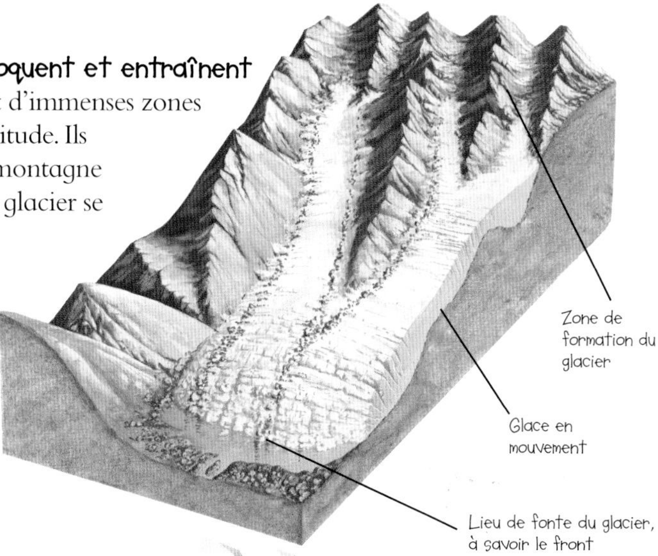

▶ La neige recouvre les cimes montagneuses et s'entasse pour former de la glace. Ainsi naît un glacier qui se déplace lentement à flanc de montagne jusqu'à ce qu'il fonde.

31 Les roches des rivières et des mers s'érodent progressivement.

Les roches des rivières et des mers s'érodent progressivement. L'eau s'écoule sur les roches et les use lentement. Le sable et le gravier, présents dans l'eau, polissent aussi lentement la surface des roches. Les minéraux contenus dans ces roches se dissolvent dans l'eau. L'eau minérale que tu achètes est appelée ainsi car elle en est très riche.

INCROYABLE !

Dans une région de Turquie, des cavernes d'habitation ont été creusées dans d'immenses cônes rocheux.

32 Le vent peut réduire une roche en pièces mais c'est un très long processus.

Le vent peut réduire une roche en pièces mais c'est un très long processus. Des vents violents projettent des grains de poussière et de sable contre les rochers et, au fil du temps, en décollent des morceaux. Ils emportent aussi avec eux de minuscules fragments qui sont situés en surface.

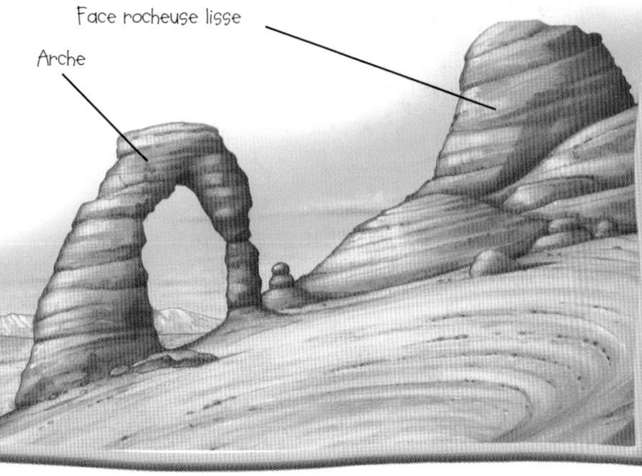

La sédimentation

33 Des pierres de différentes tailles peuvent s'amalgamer pour former une roche. Il y a des milliers d'années, des blocs rocheux, des galets et des graviers se sont déposés sur les rives des mers et des lacs. Ils se sont amalgamés pour former une roche appelée conglomérat. Au pied des falaises, des fragments rocheux se sont accumulés et cimentés en brèche donnant une roche aux éléments anguleux.

▲ Des morceaux de roche peuvent s'amalgamer sous l'action d'un ciment naturel pour former un morceau plus gros, une brèche par exemple.

▲ Un ciment naturel lie les grains de sable entre eux pour former le grès.

34 Le grès peut être issu de la mer ou du désert. Lorsque le sable s'amoncelle en une couche épaisse, les grains sont comprimés et un ciment se forme. Ce dernier amalgame les grains les uns aux autres pour former le grès. Le grès d'origine océanique peut être jaune avec des grains aux arêtes tranchantes. Le grès d'origine désertique peut être rouge avec des grains lisses et arrondis.

35 Si la vase est suffisamment comprimée, elle se transforme en roche. La vase est composée de minuscules particules d'argile et de grains légèrement plus gros appelés limon. Il y a très longtemps, d'épaisses couches de vase se sont formées dans les rivières, les lacs et les océans. Elles se sont comprimées sous leur propre poids pour devenir de l'argilite.

▶ L'argilite est une roche très lisse qui peut être grise, noire, marron ou jaune.

36 Le calcaire est constitué des carapaces

36 **Le calcaire est constitué des carapaces** de toutes sortes d'animaux marins. Lorsque l'animal meurt, sa carapace se dépose au fond de l'océan. Au fil du temps, les carapaces s'accumulent et se compactent pour former le calcaire. De nombreuses carapaces deviennent des fossiles.

▶ Le calcaire est généralement blanc, crème, gris ou jaune. Les grottes sont souvent dans les régions calcaires.

OBSERVE LE PROCESSUS DE SÉDIMENTATION

Tu auras besoin de :

sable, argile, gravier, une bouteille en plastique, un bol, une tasse, une cuillère à soupe

Mets une cuillère à soupe de sable, argile et gravier dans un bol. Mélange le tout avec deux tasses d'eau puis verse-le dans une bouteille en plastique. Tu devrais voir les cailloux se déposer en couches, les plus petits au fond et les plus gros sur le dessus.

37 La craie est composée de millions de carapaces

37 **La craie est composée de millions de carapaces et des restes de minuscules créatures maritimes.** Une goutte d'eau de mer contient de nombreux organismes microscopiques (êtres vivants). Certains sont pourvus d'une carapace. Lorsque ces organismes meurent, les carapaces se déposent au fond de la mer et, avec le temps, forment la craie.

INCROYABLE !

On trouve du silex dans la craie et le calcaire. Il y a des milliers d'années, le silex servait à fabriquer des haches, des couteaux et des pointes de flèche.

▲ La plus grosse partie de la craie s'est formée à l'époque des dinosaures mais elle se forme toujours aujourd'hui dans certains endroits de la planète.

La découverte des fossiles

38 Les plus beaux fossiles proviennent d'animaux et de plantes très vite enterrés. Lorsqu'une plante ou un animal meurt, il est généralement la proie d'autres êtres vivants et il n'en reste rien. Si au contraire, il est enseveli très vite après sa mort ou même enterré vivant, il est possible que son corps soit conservé.

39 Un fossile est constitué de minéraux. Une plante ou un animal mort peut être dissous par l'eau tout en laissant dans la vase son empreinte qui se remplit des minéraux provenant des roches avoisinantes. Parfois, les minéraux se déposent tout simplement dans le corps de l'animal et le rendent plus dur et plus lourd.

▶ C'est le crâne fossile d'un tyrannosaure, un dinosaure qui vivait sur Terre il y a entre 70 et 65 millions d'années.

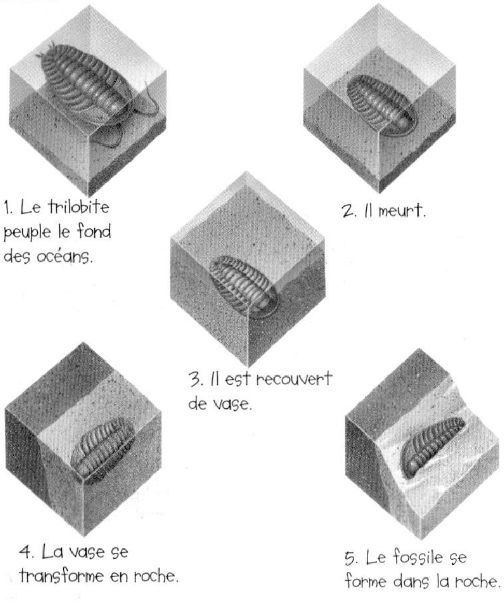

▲ On trouve de nombreux fossiles de trilobites, petites créatures peuplant les océans.

40 Certains fossiles ressemblent à un serpent lové mais ce sont incontestablement des coquillages. Ce sont les ammonites. Leur corps, recouvert d'une carapace spiralée, se décompose. La carapace se fossilise. Les ammonites vivaient dans les océans, à l'époque des dinosaures.

▲ Lorsque cette ammonite était vivante, des tentacules dépassaient de la partie non spiralée de sa carapace.

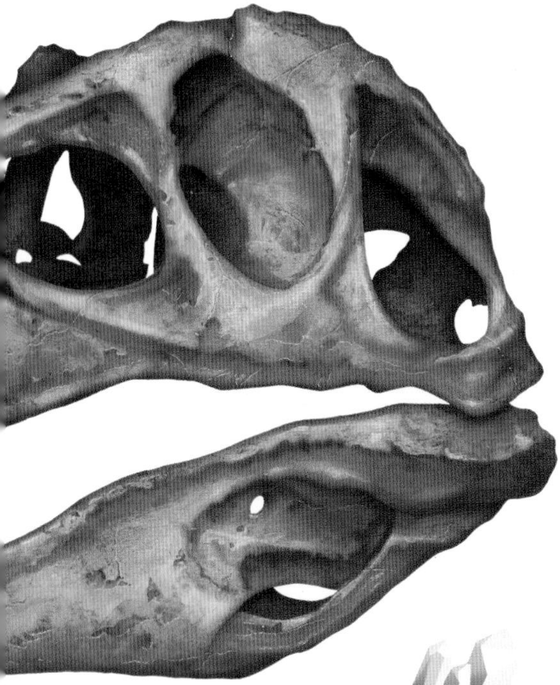

41 Les dinosaures n'ont pas laissé que des os fossilisés.

Les dinosaures n'ont pas laissé que des os fossilisés. Certains ont laissé des squelettes entiers. D'autres ne sont connus que grâce à quelques ossements découverts . On a trouvé des dents, de la peau, des œufs et des excréments fossilisés. Lorsque les dinosaures marchaient dans la vase, ils laissaient des empreintes qui se sont également fossilisées. En les étudiant, les scientifiques ont découvert comment et à quelle vitesse les dinosaures se déplaçaient.

42 L'électricité de ta maison provient peut-être de la combustion de fossiles.

L'électricité de ta maison provient peut-être de la combustion de fossiles. Il y a environ 300 millions d'années, le sol était recouvert de forêts et de marécages. Lorsque les végétaux mouraient, ils se déposaient au fond des marécages mais ne pourrissaient pas. Avec le temps, leurs restes ont été comprimés et tellement chauffés qu'ils se sont transformés en charbon. Aujourd'hui, le charbon sert à faire fonctionner les génératrices qui produisent l'électricité.

INCROYABLE !

Certaines bactéries fossilisées datent de plus de trois milliards d'années.

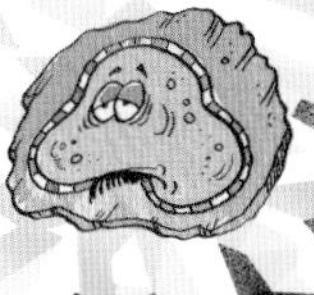

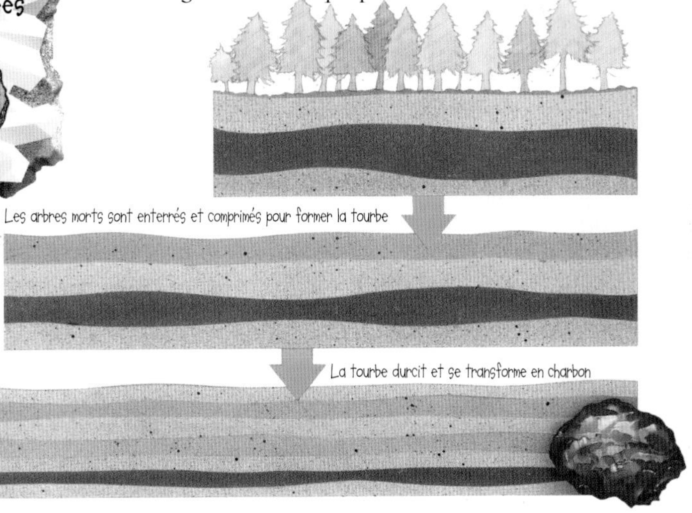

▶ Le charbon est issu d'arbres et de plantes poussant à proximité de l'eau. Lorsque les arbres meurent, le sol gorgé d'eau empêche qu'ils ne pourrissent et leurs débris forment la tourbe.

La transformation des roches

43 Les roches qui constituent la croûte terrestre, peuvent se transformer à nouveau. Cela peut survenir de deux façons : les roches en fusion, parcourant la croûte terrestre, modifie la roche sous l'effet de la chaleur. Ou encore, la croûte elle-même est comprimée et chauffée au moment de la formation de montagnes. Ces deux phénomènes produisent des cristaux issus de nouveaux types de roches.

▶ Certaines couches rocheuses souterraines peuvent se modifier sous l'action de la chaleur.

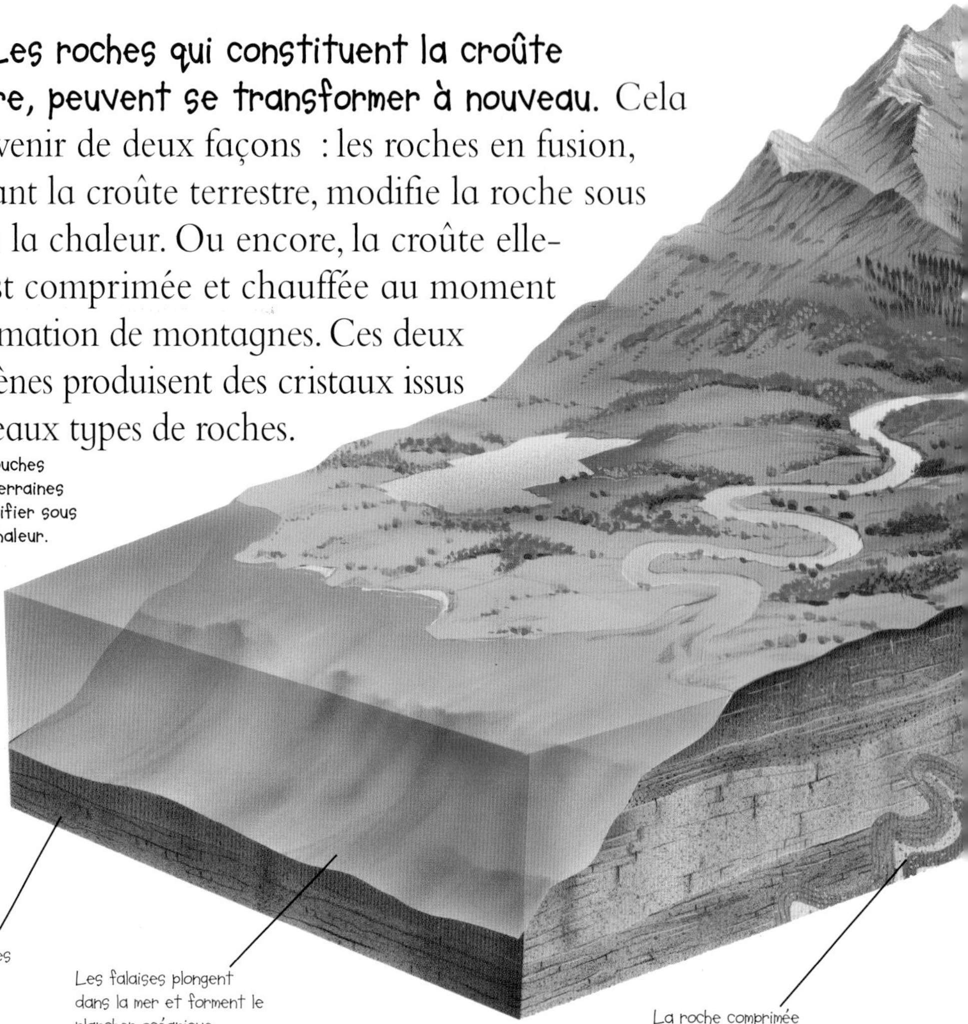

44 Si l'argilite est comprimée et chauffée, elle se transforme en ardoise. Les cristaux s'organisent en couches ; c'est pourquoi l'ardoise est si facile à découper en plaques. C'est un bon matériau pour les toitures. Les plaques lisses servent aussi à fabriquer la base des tables de billard.

46 La roche peut s'orner de rayures lorsqu'elle est chauffée et plissée.

Elle devient si chaude qu'elle est presque en fusion. Les minéraux qui composent la roche forment des couches ressemblant à des rayures colorées. Ces rayures peuvent être ondulées, indiquant ainsi la façon dont la roche a été plissée. Cette roche est appelée gneiss.

▲ Les rayures du gneiss résultent des couches de différents minéraux.

QUIZ

1. Si un grès est constitué de grains rouges lisses et arrondis, où a-t-il été formé ?
2. Quelles roches sont formées à partir de carapaces et des restes de minuscules créatures maritimes ?
3. Nomme six sortes de fossiles que peuvent nous laisser les dinosaures.
4. Quelle roche se transforme en ardoise quand elle est chauffée et comprimée ?

Réponses :
1. Dans le désert 2. Calcaire et craie 3. Os, dents, peau, œufs, excréments, empreintes 4. Argile

45 Le calcaire « cuit » au cœur de la Terre se transforme en marbre.

Les carapaces qui constituent le calcaire se disloquent sous l'action d'une chaleur intense et se transforment en marbre. Cette roche peut être polie pour la rendre encore plus belle et sert à fabriquer des statues et des objets décoratifs.

Les massifs montagneux

47 Les montagnes les plus jeunes de la Terre sont aussi les plus élevées. La plus haute de toutes est l'Everest, qui est apparu il y a 15 millions d'années. Les montagnes récentes ont des pics dentelés et pointus. Les roches dures qui les composent s'effritent lentement. Les montagnes plus anciennes se reconnaissent par leur forme arrondie. Au fil du temps, toutes les roches s'érodent, les plus tendres étant plus sensibles aux intempéries.

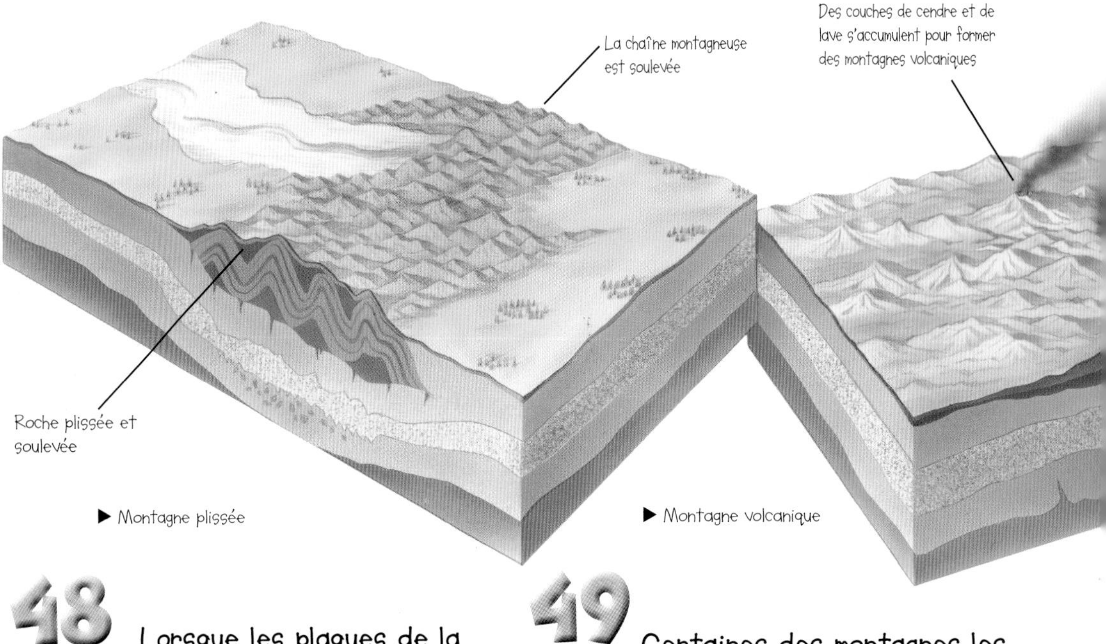

▶ Montagne plissée

▶ Montagne volcanique

48 Lorsque les plaques de la croûte terrestre entrent en collision, les montagnes se forment. Quand deux plaques continentales se heurtent, le bord de chacune d'elles se déforme, se plisse et soulève les chaînes montagneuses. C'est ce qui est arrivé à la chaîne himalayenne par exemple.

49 Certaines des montagnes les plus élevées de la planète sont des volcans. Les roches en fusion (lave) venant de la croûte terrestre jaillissent du volcan. Lorsque la lave refroidit, elle forme une couche rocheuse. Chaque nouvelle éruption volcanique ajoute ainsi une couche supplémentaire.

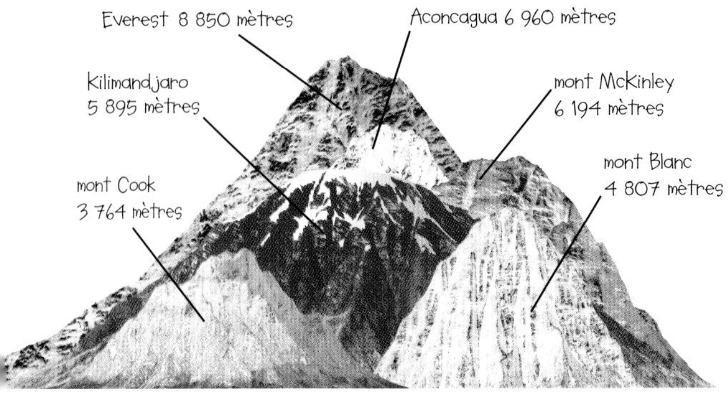

▲ Les montagnes sont ce qu'il y a de plus élevé sur la Terre. Le mont Cook est le moins haut de celles illustrées ici mais il reste néanmoins six fois plus haut que la structure la plus élevée érigée par l'homme !

FABRIQUE UNE MONTAGNE PLISSÉE

Étale une serviette sur une table. Mets une main à chaque extrémité de la serviette. Resserre tes mains lentement et observe la formation d'une mini-chaîne plissée.

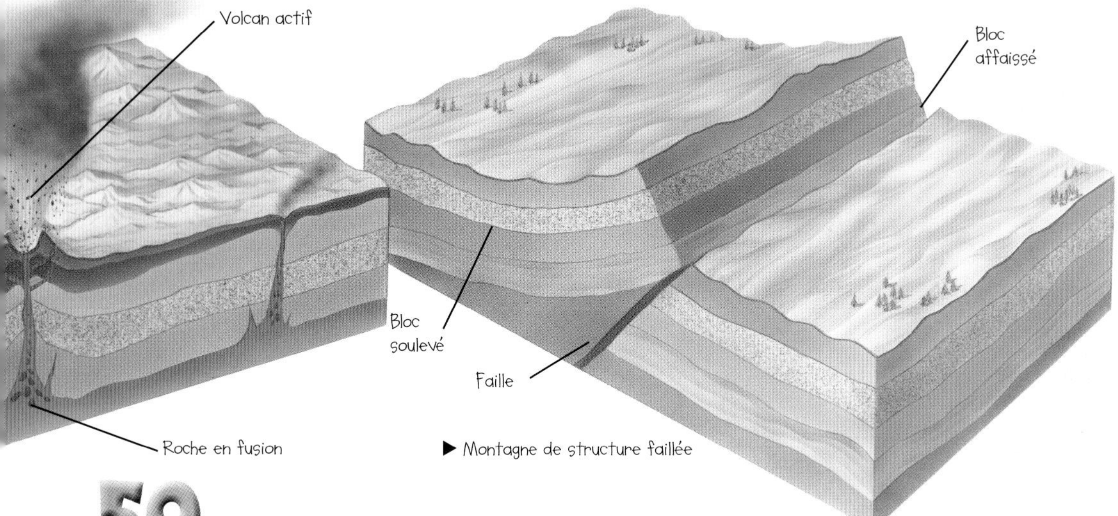

▶ Montagne de structure faillée

50 Le mouvement de la croûte terrestre peut provoquer le soulèvement des blocs de roche et créer ainsi des massifs montagneux. Lorsque les plaques de la croûte terrestre entrent en collision, elles produisent de la chaleur qui ramollit la roche et la plisse. À distance de cette source de chaleur, les roches moins chaudes se rompent sous l'action de la poussée et créent d'énormes failles ou fissures. Lorsqu'un bloc de roche entre deux failles est poussé par le reste de la croûte, il se soulève et forme une montagne de structure faillée.

▲ La formation de massifs montagneux est constante et nécessite des millions d'années. Un groupe de montagnes est appelé une chaîne. Les plus grosses chaînes sont les Alpes en Europe, les Andes en Amérique du Sud, les Rocheuses en Amérique du Nord et l'Himalaya en Asie, la plus élevée de toutes.

La Terre qui tremble

51 Un tremblement de terre est le résultat de mouvements violents dans la croûte terrestre. Il se produit généralement lorsque deux plaques se frottent l'une contre l'autre. Un tremblement de terre (séisme) démarre très loin sous terre, dans son foyer. Les ondes de choc partent du foyer dans toutes les directions et secouent les roches. L'endroit où les ondes atteignent la surface est l'épicentre, c'est aussi là où les secousses sont les plus fortes.

52 La puissance d'un tremblement de terre peut varier. Un demi-million de tremblements se produisent chaque année mais peu sont ressentis par la population. En effet, une vingtaine de séismes par an sont tellement violents qu'ils provoquent de véritables désastres. La force d'un tremblement est mesurée par l'échelle de Richter ; plus le chiffre est élevé et plus les dégâts sont importants.

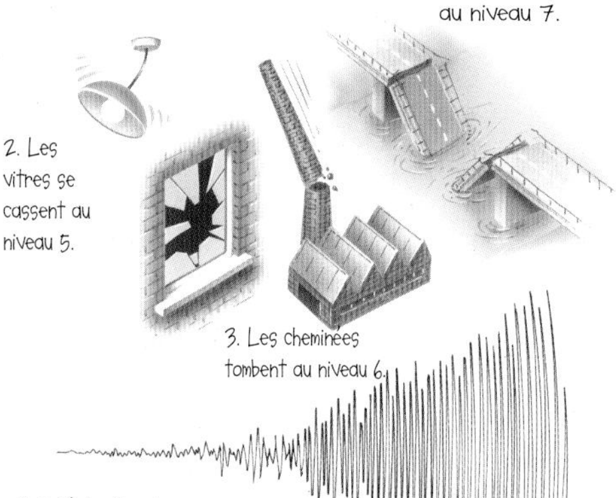

▲ L'échelle de Richter mesure la puissance des ondes de choc et de l'énergie produite par un tremblement de terre. Les ondes de choc peuvent avoir peu d'effets ou au contraire renverser des bâtiments.

▼ Les tremblements de terre peuvent démolir les bâtiments et fissurer les routes. Les incendies présentent aussi un danger car les conduites de gaz peuvent se rompre et s'enflammer.

53 Les tremblements de terre peuvent aussi avoir lieu sous la mer ; ils provoquent des vagues énormes appelées tsunamis. Lorsque le tsunami traverse l'océan à toute vitesse, il reste malgré tout relativement calme. Mais lorsqu'il atteint la côte, il se soulève pour former un immense mur d'eau. La vague s'abat sur le continent et détruit tout sur son passage.

▲ Un tsunami peut atteindre 30 mètres de haut. Le poids et la puissance de la vague rasent villes et villages.

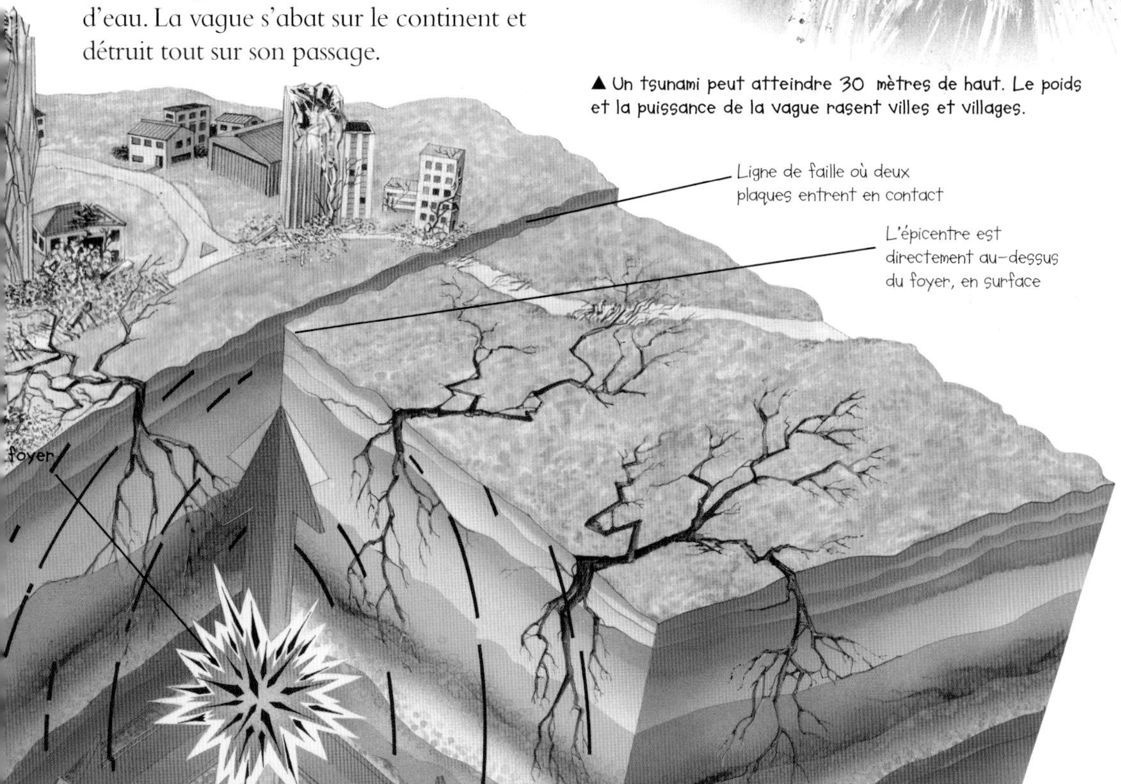

▲ Ondes de choc depuis le foyer

Des grottes caverneuses

54 Certaines grottes sont en fait des conduits de lave. Lorsque la lave s'écoule le long d'un volcan, sa surface se refroidit très vite. La lave froide est dure mais sous elle, une partie reste tiède et continue sa course. Lorsque ce conduit se vide, une grotte apparaît.

▲ Une grotte de lave est si large qu'un individu peut la traverser sans avoir à se courber.

1. L'eau s'infiltre dans les fissures rocheuses

55 **L'action de la pluie sur le calcaire est identique à celle d'une excavatrice*.**

Le dioxyde de carbone qui est dans l'eau de pluie peut se mélanger à l'acide contenu dans le calcaire et ainsi provoquer une réaction chimique suffisamment puissante pour attaquer la roche et la dissoudre. Ainsi, sous terre, l'infiltration de l'eau de pluie façonne des grottes où l'on trouve des ruisseaux et des lacs.

* Engin de chantier qui creuse en profondeur pour enlever la terre.

▶ L'eau s'écoule dans les grottes calcaires et crée des bassins et des ruisseaux. Par temps de pluie, les grottes peuvent être inondées.

▼ L'eau s'infiltre dans les fissures de la roche calcaire et les élargit pour former des grottes. Les grottes horizontales sont des galeries, les verticales des puits.

2. Les ruisseaux souterrains creusent la roche

3. Un système de grottes se développe

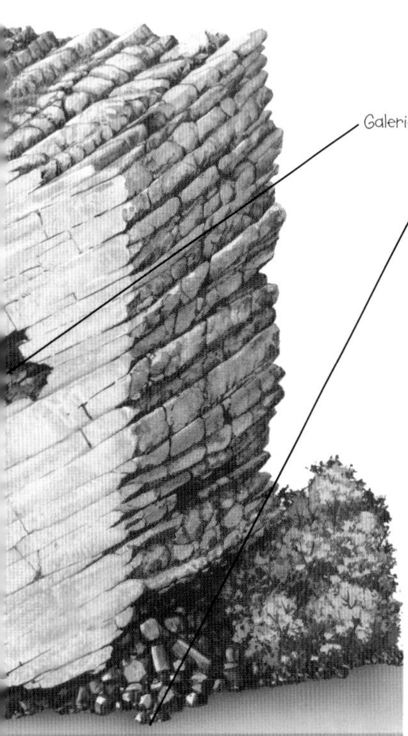

INCROYABLE !

La plus longue stalactite mesure 59 mètres, la plus haute stalagmite 32 mètres.

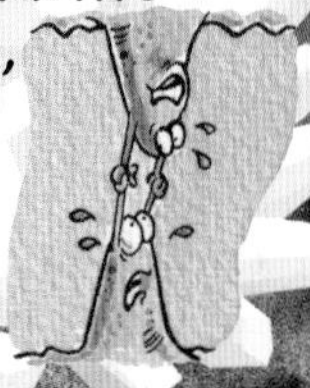

56 **L'eau qui s'écoule au goutte-à-goutte dans une grotte calcaire crée des pointes rocheuses.**

Lorsque l'eau tombe du plafond d'une grotte, elle laisse derrière elle un petit morceau de calcaire. Une petite pointe commence à se former et peut devenir une stalactite. Lorsque les gouttes atterrissent sur le sol, de minuscules morceaux de calcaire s'accumulent. Ils forment une pointe dirigée vers le haut, appelée stalagmite. Avec le temps, les deux pointes peuvent se rejoindre en une colonne rocheuse.

Les trésors de la Terre

57 L'or existe sous forme de petits grains, de grosses pépites ou de veines parcourant les roches. On trouve les grains d'or dans le sable du lit des rivières. En revanche, l'argent forme des filons dans la roche. Il est recouvert d'un revêtement terne et ne brille pas comme les bijoux que tu as déjà pu voir.

▲ Les pépites d'or comme celle-ci peuvent être fondues et moulées en bijoux divers et variés.

◀ L'argent sert à fabriquer des bijoux et des objets de décoration.

58 On trouve la plupart des métaux dans des roches appelées minerais. Un minerai est un mélange de différents éléments, dont le métal. Chaque métal a son propre minerai. Par exemple, l'aluminium se trouve dans la bauxite, de couleur jaune. La chaleur est le procédé utilisé pour extraire les métaux de leur minerai. Nous utilisons ces métaux pour fabriquer des milliers de choses différentes, d'une simple montre à un avion gros porteur.

▲ C'est de la bauxite, le minerai de l'aluminium. La chaleur, les produits chimiques et l'électricité sont utilisés pour extraire le métal de la roche. L'aluminium sert à fabriquer toutes sortes de choses, du papier aluminium aux aéronefs.

59 De magnifiques cristaux peuvent naître dans les bulles de lave. La lave contient des gaz qui génèrent des bulles. Lorsque la lave refroidit et se durcit, les bulles créent des petites cavités dans la roche ; ce sont des géodes. Des liquides s'y infiltrent, s'évaporent et de gros cristaux se forment. C'est ainsi que naît la pierre précieuse améthyste par exemple.

▶ À l'intérieur d'une géode, les cristaux, comme ceux de l'améthyste, s'accumulent et s'assemblent pour lui donner une forme parfaite.

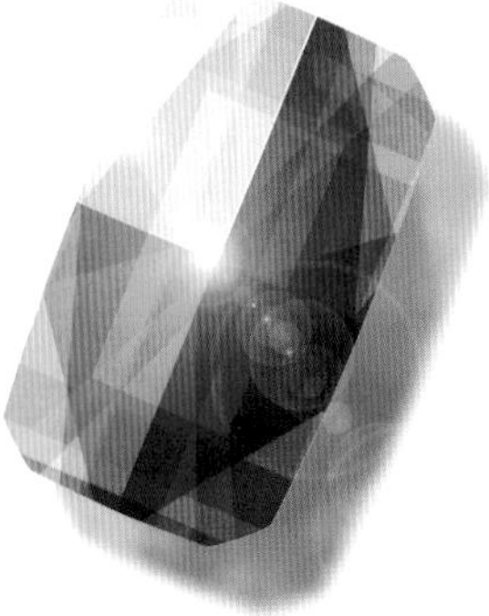

◀ Béryl

◀ Émeraude

▼ Diamant

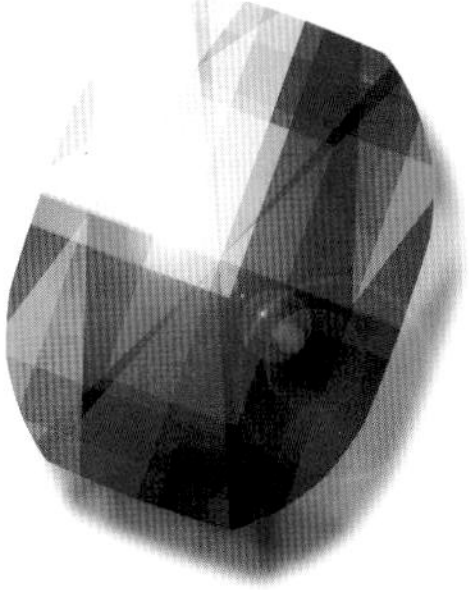

▲ Grenat

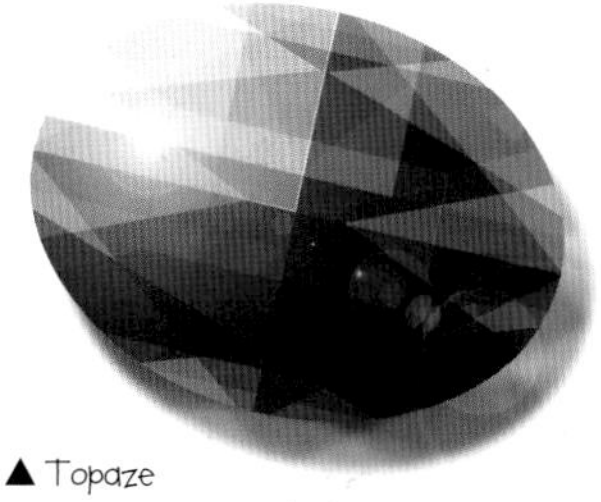

▲ Topaze

60 **Les pierres précieuses sont des roches de couleur. Elles sont découpées et polies de manière à briller.** Nous les utilisons depuis des milliers d'années pour fabriquer des bijoux. Le topaze, l'émeraude et le grenat se sont développés dans des roches chaudes qui sont montées dans la croûte terrestre et se sont refroidies. La plupart existent sous forme de petits cristaux mais le béryl peut être énorme ; le plus gros qu'on ait trouvé mesurait 18 mètres de long ! Le diamant est une pierre précieuse et est l'élément naturel le plus dur qui existe sur Terre.

▲ Il existe plus d'une centaine de pierres précieuses différentes. Certaines sont associées aux mois de l'année et connues sous le nom de « pierres de naissance ». Par exemple, le saphir correspond au mois de septembre.

FABRIQUE DES CRISTAUX À PARTIR D'EAU SALÉE

Tu auras besoin de :

sel de table
une loupe
un bol de couleur foncée

Dissous du sel de table dans de l'eau tiède. Verse l'eau salée dans un bol de couleur foncée. Place le bol dans un endroit chaud de manière à ce que l'eau puisse s'évaporer. Quelques jours après, observe les cristaux à l'aide de ta loupe.

La fureur des intempéries

▲ De la surface de la planète jusque dans l'espace, tu traverses les cinq couches de l'atmosphère.

61 La Terre est enveloppée de couches de gaz, l'atmosphère. La couche la plus basse, la troposphère, est responsable du temps qu'il fait. La couche suivante est la stratosphère ; c'est là où les aéronefs volent pour éviter le mauvais temps. Puis, vient la mésosphère, suivie de la thermosphère. L'exosphère s'étend à 700 kilomètres au-dessus de ta tête.

62 Les nuages se forment dans l'air au-dessus des océans. Lorsque le Soleil brille à la surface de l'eau, une partie de celle-ci s'évapore. Un gaz appelé vapeur d'eau s'élève dans les airs et refroidit. Ainsi sont formés les nuages. Ils refroidissent à leur tour quand ils pénètrent dans les terres et produisent de la pluie. La pluie tombe sur le sol, rejoint les rivières puis les océans. C'est le cycle de l'eau.

▼ Au cours du cycle de l'eau, celle-ci passe de l'océan à l'air puis au sol.

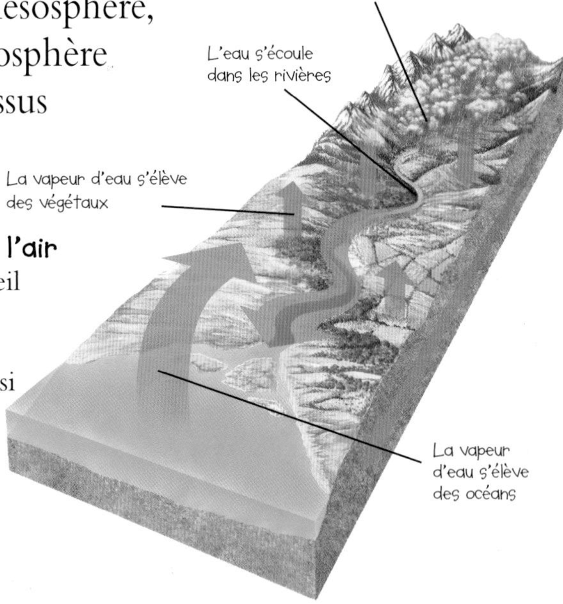

▶ Un ouragan se forme à la surface d'une eau tiède océanique mais peut regagner la côte et pénétrer dans les terres.

63 Un ouragan est une tempête destructrice qui s'amoncelle au-dessus de la partie chaude d'un océan. L'eau s'évaporant de l'océan forme un gros nuage. L'air froid qui arrive sous le nuage tourne comme une immense toupie. Le centre de l'ouragan (l'œil) est parfaitement immobile. Mais partout autour, des vents soufflent à une vitesse d'environ 300 kilomètres par heure. Si l'ouragan atteint le continent, il peut réduire les constructions en pièces.

65 Les flocons de neige se forment dans la partie supérieure des nuages. Il y fait si froid que l'eau gèle et se transforme en cristaux de glace. À mesure que les flocons grossissent, ils traversent le nuage. Si celui-ci est dans de l'air chaud, les flocons fondent et ne sont plus que des gouttes de pluie. Si le nuage est dans de l'air froid, les flocons atteignent le sol et commencent à former une couche de neige.

▼ Les cristaux de glace d'un flocon de neige ont généralement six branches

64 La tornade est le vent le plus rapide de la planète. Elle peut en effet atteindre 500 kilomètres par heure. Les tornades naissent au-dessus d'un sol devenu très chaud. L'air s'élève à toute vitesse et crée un entonnoir tourbillonnant qui agit comme un aspirateur. La tornade peut dévaster des bâtiments et soulever des véhicules en les rejetant violemment au sol.

INCROYABLE !

Il y a chaque jour sur la Terre 45 000 tempêtes.

Territoires de sable et d'herbe

66 **Les endroits les plus secs de la Terre sont les déserts.** De nombreux déserts connaissent une courte période de pluie annuelle bien que certains endurent la sécheresse pendant de nombreuses années. Les principaux déserts du monde sont illustrés sur la carte.

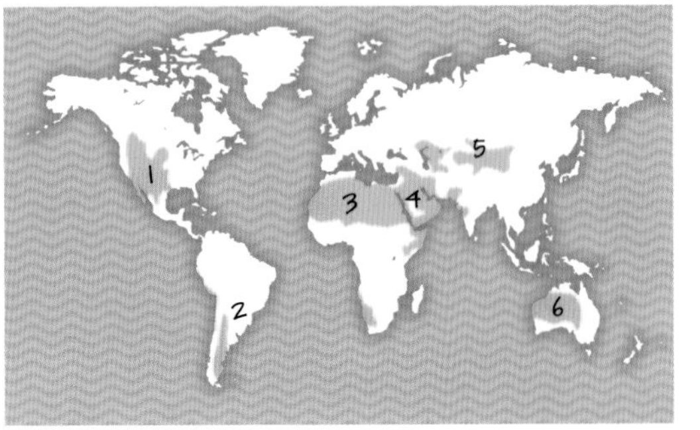

▲ 1. Déserts d'Amérique du Nord : Grand Bassin et Mojave 2. Atacama 3. Sahara 4. Désert d'Arabie 5. Gobi 6. Déserts australiens : Grand Désert de Sable, Gibson, Grand Victoria, Simpson.

67 **Les déserts ne sont pas toujours chauds.** Il peut y faire une cinquantaine de degrés pendant la journée mais la température tombe vite la nuit. Les déserts proches de l'Équateur connaissent de chaudes journées presque toute l'année mais ceux qui en sont éloignés ont des hivers très froids.

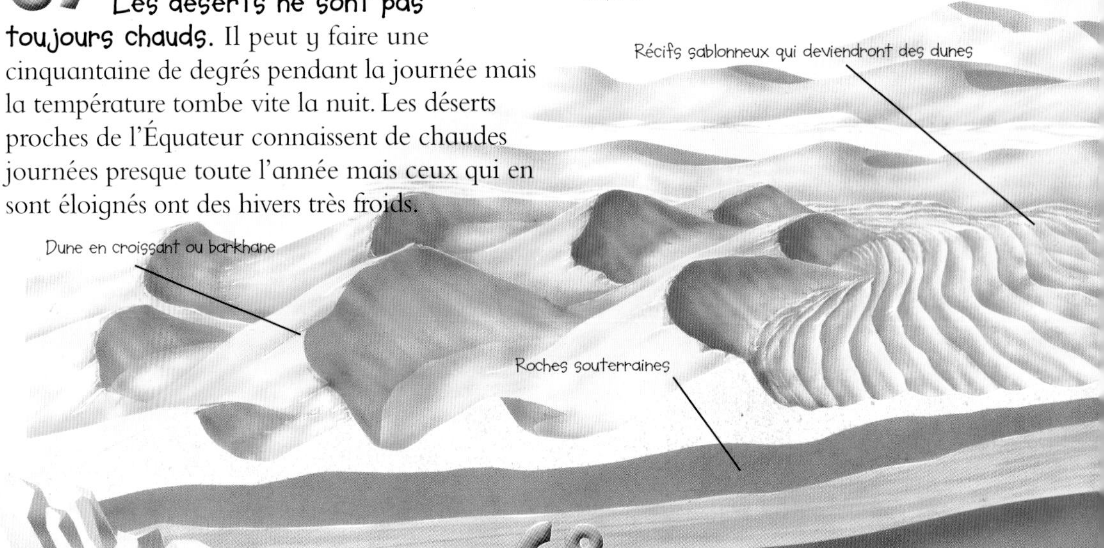

INCROYABLE !

Le chameau a de si larges pieds qu'il ne s'enfonce pas dans le sable.

68 **Les dunes de sable sont le résultat des vents qui soufflent dans le désert.** S'il n'y a pas beaucoup de sable sur le sol désertique, le souffle du vent crée des dunes en forme de croissant, appelées aussi barkhanes. Si la quantité de sable est importante, se forment de longues dunes droites appelées transversales. Si le vent est très violent, il donne naissance à de longues dunes ondulées, les sifs ou dunes longitudinales.

69 Une oasis est un réservoir d'eau situé dans le désert.

Elle est formée grâce à l'infiltration d'eau de pluie dans le sable. L'eau, recueillie par la roche imperméable, forme une mare à l'endroit où le sable est très fin. Les arbres et les plantes poussent autour de la réserve d'eau et les animaux viennent y boire.

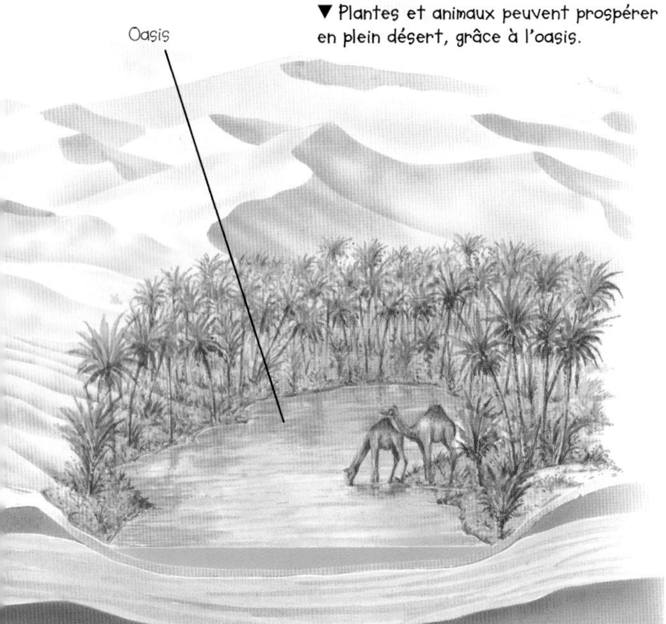

▼ Plantes et animaux peuvent prospérer en plein désert, grâce à l'oasis.

70 Le cactus stocke l'eau dans sa tige.

Les rainures de la tige lui permettent d'emmagasiner de l'eau pour survivre lors de sécheresse. Les épines empêchent les animaux de mordre la plante pour en boire l'eau.

71 Les prairies se trouvent dans des zones où il pleut trop pour être des déserts, mais pas assez pour qu'une forêt s'y développe.

Les prairies tropicales proches de l'Équateur sont chaudes tout l'année. Celles qui en sont éloignées ont des étés chauds et des hivers froids.

72 De nombreux animaux vivent dans les prairies.

En Afrique, les zèbres se nourrissent de la partie supérieure des tiges d'herbe, les gnous des feuilles intermédiaires et les gazelles des jeunes pousses. Tous les animaux mangent ainsi ensemble. D'autres, les lions par exemple, se nourrissent d'herbivores.

▼ Trois types d'animaux peuvent vivre ensemble en mangeant une même plante à différentes hauteurs. Les zèbres (1) mangent les herbes hautes. Les gnous (2) se nourrissent des feuilles intermédiaires et les gazelles (3) paissent les pousses au ras du sol.

Les forêts

73 Il existe trois grands types de forêts : de conifères, tempérées et tropicales. Les principales régions forestières sont illustrées sur la carte ci-contre.

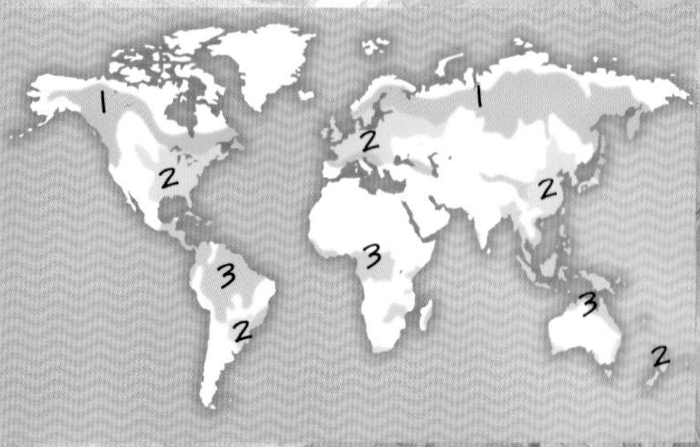

▲ Cette carte illustre les principales zones forestières du monde : 1. Forêt de conifères 2. Forêt tempérée 3. Forêt tropicale

74 Les conifères constituent d'immenses forêts dans l'hémisphère Nord de la planète. Ils ont de longues feuilles vertes, ressemblant à des aiguilles qui sont recouvertes de cire et persistent tout au long de l'année. En hiver, la cire permet à la neige de glisser sur les feuilles afin que les rayons du soleil puissent les atteindre et les maintenir en vie. Les conifères produisent des graines, contenues dans les pommes de pin. Les écureuils en sont friands.

76 Une multitude d'arbres immenses poussent à proximité les uns des autres dans les forêts tropicales humides. Ils ont de larges feuilles persistantes et des branches qui se touchent presque. Ils forment ainsi un toit feuillu au-dessus de la forêt qu'on appelle canopée. Il y pleut quasiment chaque jour. La végétation est tellement dense qu'une goutte de pluie peut parfois mettre dix minutes avant d'atteindre le sol. Les trois quarts de toutes les espèces animales et végétales connues vivent dans les forêts tropicales. Ce sont notamment de grosses araignées velues, des grenouilles aux couleurs chatoyantes et des félins tachetés.

75 La plupart des arbres des forêts tempérées ont de larges feuilles plates et nécessitent de grandes quantités d'eau pour leur survie. En hiver, les arbres n'obtiennent pas suffisamment d'eau du sol gelé. Ils perdent donc leurs feuilles, qui repoussent au printemps. Cervidés, lapins, renards et souris vivent dans les sous-bois tandis qu'écureuils, pics-verts et hiboux peuplent les arbres.

QUIZ

1. Qu'est-ce qui se forme dans la partie supérieure d'un nuage ?
2. Quelle forme a une dune barkhane ?
3. Dans quel type de forêt pourrais-tu trouver des grenouilles aux couleurs chatoyantes ?

Réponses :
1. flocons de neige 2. croissant 3. tropicale

Lacs et rivières

77 Une grosse rivière n'est au départ qu'une simple source.

La source est l'endroit où l'eau surgit du sol. L'eau de pluie s'infiltre dans le sol, à travers la terre et la roche, jusqu'à ce qu'elle jaillisse à flanc de colline. Le filet d'eau d'une source est appelé ruisseau. Plusieurs ruisseaux se rejoignent pour former une rivière.

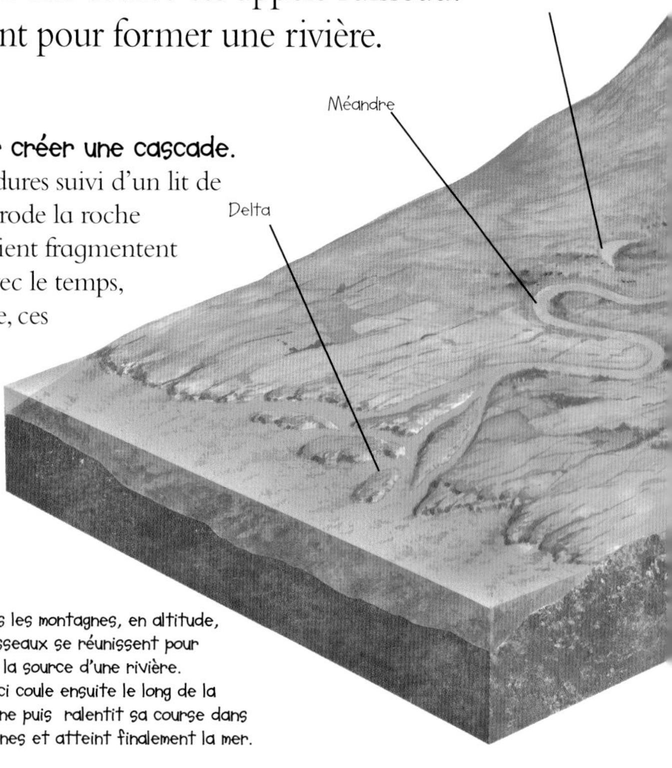

▶ Dans les montagnes, en altitude, les ruisseaux se réunissent pour former la source d'une rivière. Celle-ci coule ensuite le long de la montagne puis ralentit sa course dans les plaines et atteint finalement la mer.

78 L'eau use les rochers pour créer une cascade.

Une rivière peut avoir un lit de pierres dures suivi d'un lit de pierres plus tendres. L'eau de la rivière érode la roche tendre, les galets et cailloux qu'elle contient fragmentent des portions de la roche dure et ainsi avec le temps, forme une falaise. Au pied de sa cascade, ces cailloux creusent une cavité profonde appelée marmite de géants ou marmite torrentielle.

▼ Les cascades peuvent ne mesurer que quelques centimètres ou chuter d'une falaise impressionnante. Les chutes des Anges au Venezuela sont les plus hautes du monde, l'une atteignant 807 mètres !

79 Une rivière change son parcours vers la mer.

Elle prend sa source dans les collines et les montagnes ; elle est étroite et coule vite. Lorsqu'elle atteint des sols plus plats, elle ralentit et s'élargit. Elle décrit des boucles appelées méandres qui peuvent se séparer et former des bras morts. Le point de rencontre de la rivière avec la mer est l'embouchure ; il peut s'agir d'un large canal (estuaire) ou d'un groupe de bancs sablonneux (delta).

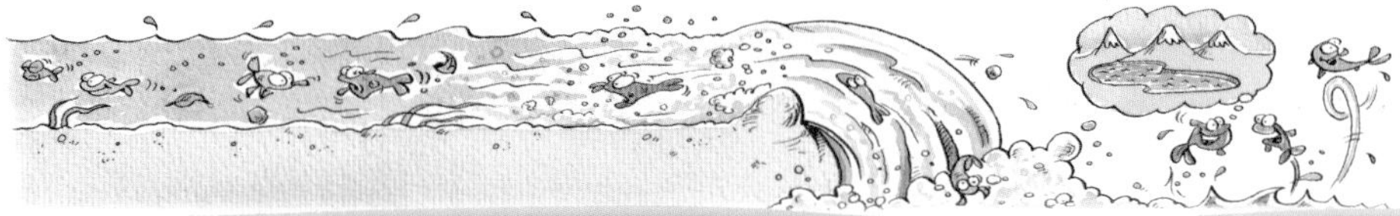

80 Les lacs s'installent dans les cavités du sol.

80 Les lacs s'installent dans les cavités du sol. Ces cavités peuvent avoir été causées par la fonte de glaciers ou par la fissure des plaques de la croûte terrestre. Certains lacs se forment lorsqu'un glissement de terrain crée un barrage sur une rivière.

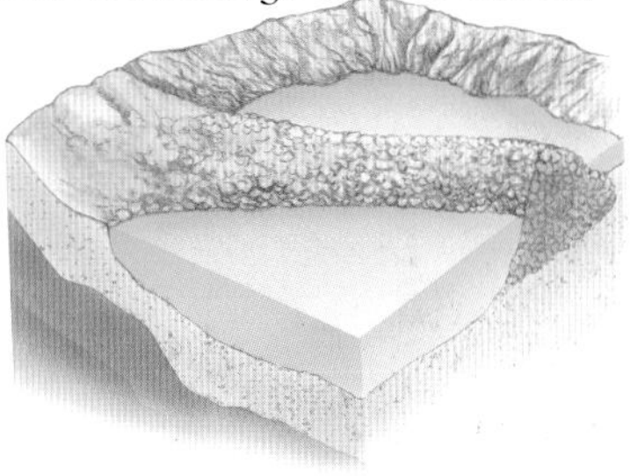

▲ Le terrain s'est affaissé dans la rivière et a bloqué l'écoulement de l'eau pour former un lac.

▼ Le cratère d'un volcan peut parfois accueillir un lac.

81 Un lac peut naître dans le cratère d'un volcan ou d'une météorite.

81 Un lac peut naître dans le cratère d'un volcan ou d'une météorite. Quelques lacs se sont formés dans les cratères laissés par des météorites qui ont heurté la Terre il y a très longtemps. Ils peuvent aussi naître dans les cratères de volcan éteint.

▼ Les lacs sont généralement bleus mais peuvent aussi être verts, roses, rouges et même blancs. La lagune Colorado, au Chili, est rouge en raison des micro-organismes (créatures) qui peuplent ses eaux.

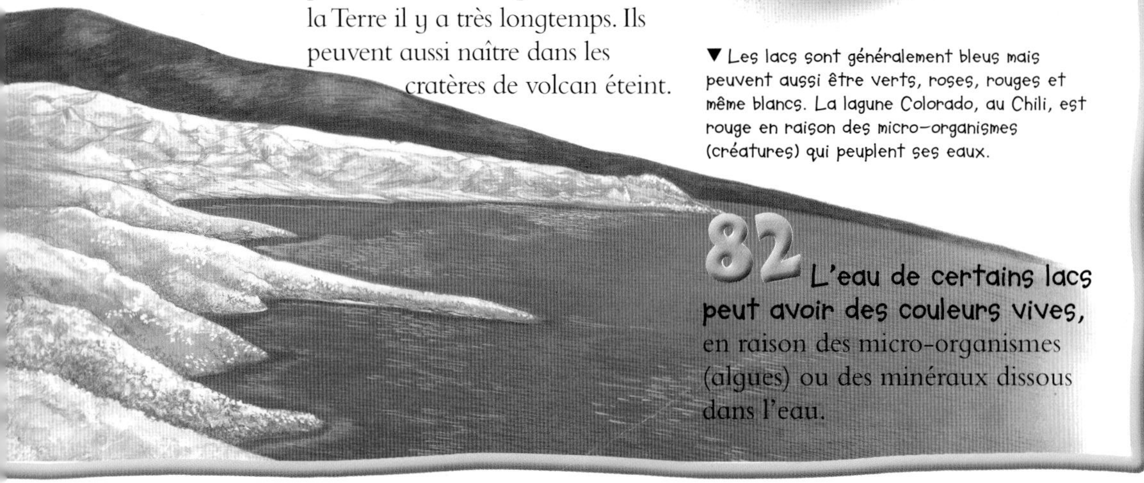

82 L'eau de certains lacs peut avoir des couleurs vives,

82 L'eau de certains lacs peut avoir des couleurs vives, en raison des micro-organismes (algues) ou des minéraux dissous dans l'eau.

Le monde aquatique

83 Il y a tellement d'eau sur notre planète qu'on pourrait très bien l'appeler Océan plutôt que Terre. Seul un tiers de la planète n'est pas recouvert par les eaux. Le reste est englouti sous quatre immenses zones d'eau, les océans. Une mer est une surface d'eau incluse dans un océan. Par exemple, la mer du Nord fait partie de l'océan Atlantique et la mer de Malaisie de l'océan Pacifique.

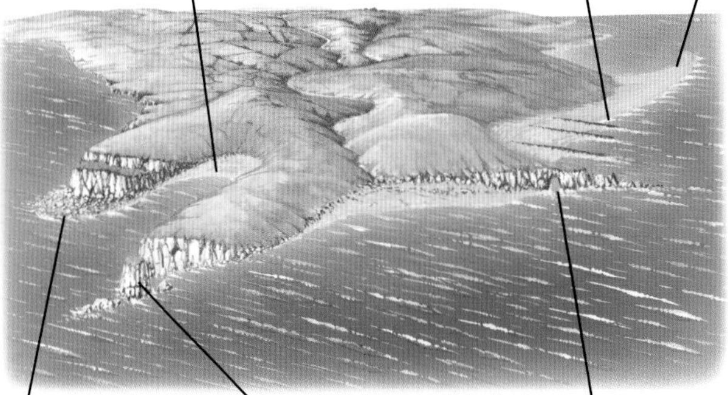

84 Les côtes sont en constante évolution. La côte est le point de rencontre de l'eau avec la terre. La côte peut se modifier en fonction de l'érosion qu'exerce l'eau de la mer sur la roche. Ainsi, des grottes et des arches sont creusées dans les falaises. Parfois, les arches se rompent et laissent des colonnes appelées éperons.

◀ Les rochers de la côte se brisent sous l'action des vagues.

85 Les océans sont si profonds qu'ils cachent des massifs montagneux. Si tu barbotes à proximité du rivage, l'eau est assez peu profonde. Au large, elle peut atteindre jusqu'à huit kilomètres de profondeur. Le plancher océanique est une plaine parsemée de massifs montagneux, qui symbolisent le contact entre deux plaques. À proximité de la côte, on peut trouver des fosses profondes résultant de la séparation de deux plaques. Des volcans éteints forment des montagnes sous-marines.

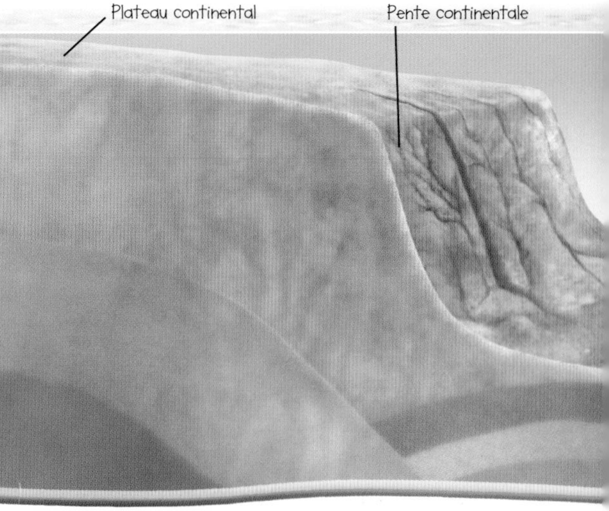

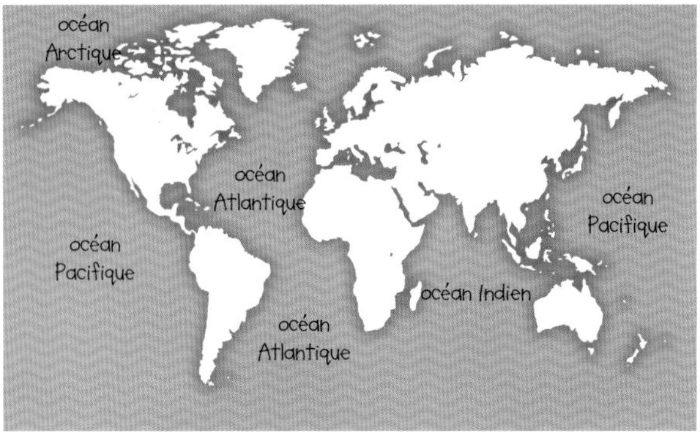

▲ Cette carte illustre les principaux océans du monde.

87 Des milliers d'icebergs flottent sur les océans.

Ils sont issus des glaciers et des inlandsis (glaciers continentaux) qui se sont formés aux pôles Nord et Sud. Ce que l'on voit au-dessus de l'eau n'est en fait qu'un dixième de l'iceberg ; le reste est sous l'eau et peut faire couler les bateaux qui naviguent trop près.

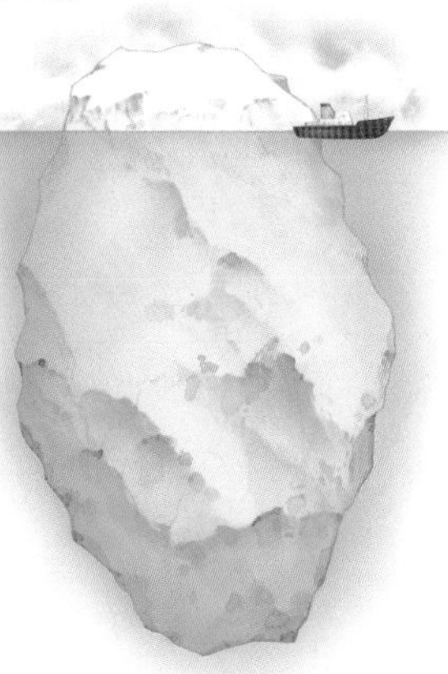

▲ Sous chaque iceberg se trouve une grande quantité de glace, généralement bien plus importante que la zone visible à la surface.

86 De minuscules créatures peuvent créer des îles sur les océans.

Les coraux ont une consistance molle et visqueuse et vivent en colonies de plusieurs millions. Ils construisent des abris rocheux à partir de minéraux contenus dans l'eau de mer qui les protègent des poissons prédateurs. Les coraux s'accumulent pour créer des îles autour des volcans éteints dans les océans Pacifique et Indien.

▲ Les coraux ne peuplent que les eaux tropicales ou subtropicales. Ils ont tendance à s'installer dans les eaux peu profondes où pénètre la lumière du soleil.

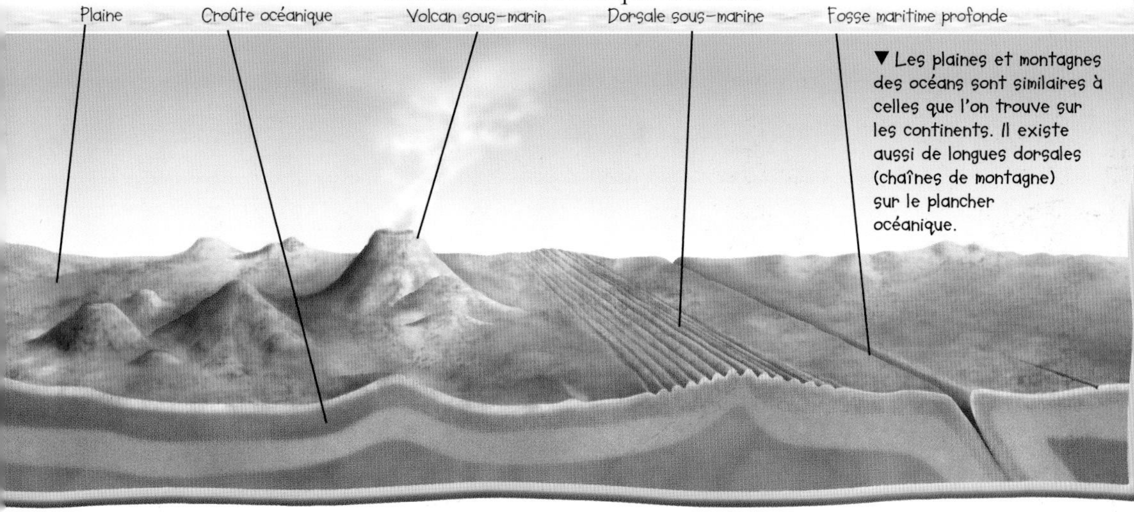

▼ Les plaines et montagnes des océans sont similaires à celles que l'on trouve sur les continents. Il existe aussi de longues dorsales (chaînes de montagne) sur le plancher océanique.

La planète vivante

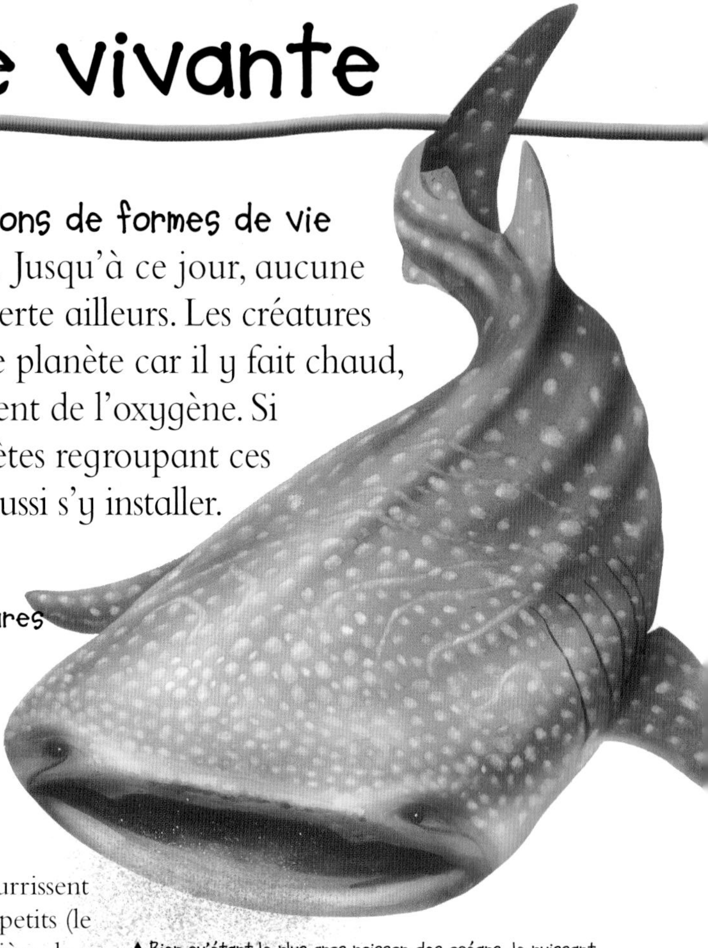

88 Il existe des millions de formes de vie différentes sur la Terre. Jusqu'à ce jour, aucune trace de vie n'a été découverte ailleurs. Les créatures vivantes subsistent sur notre planète car il y fait chaud, il y a de l'eau et l'air contient de l'oxygène. Si nous découvrions des planètes regroupant ces conditions, la vie pourrait aussi s'y installer.

89 De nombreuses créatures vivant sur la Terre sont minuscules. Si minuscules qu'elles sont invisibles. Le requin-baleine est le plus gros poisson de la planète et pourtant il se nourrit de créatures minuscules ressemblant à des crevettes. Celles-ci à leur tour se nourrissent d'organismes végétaux encore plus petits (le plancton) qui vivent grâce à la lumière du soleil et à l'eau de mer. L'on trouve des bactéries microscopiques dans le sol et même sur ta peau.

▲ Bien qu'étant le plus gros poisson des océans, le puissant requin-baleine se nourrit de plancton et de minuscules créatures ressemblant à des crevettes.

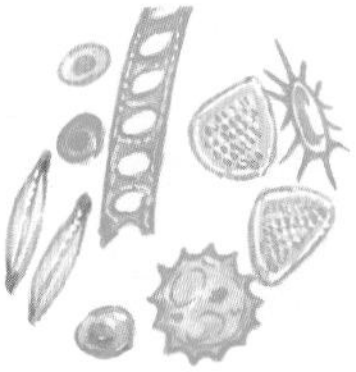

90 Les animaux ne peuvent pas vivre sans les végétaux. Un végétal fabrique sa nourriture à partir de la lumière du soleil, de l'eau, de l'air et des minéraux contenus dans le sol. C'est la photosynthèse. Les animaux sont incapables de fabriquer leur propre nourriture et mangent donc des végétaux. Les autres survivent en s'attaquant aux herbivores ou aux mammifères qui eux, se nourrissent d'herbivores. Bref, si les végétaux disparaissaient de la surface de la Terre, les animaux n'y survivraient pas.

▲ Cette chenille mange autant de feuille que possible avant de se transformer en papillon.

91 **L'air aussi peut contenir une multitude d'animaux.** Par une belle journée, des nuées de moucherons rasent le sol. Au printemps et à l'automne, des groupes d'oiseaux partent vers d'autres contrées pour y nicher. Les soirs d'été, les chauve-souris partent à la chasse aux moucherons.

92 **De petits animaux ont élu domicile à la surface du sol.** Les souris filent dans l'herbe. De plus gros animaux tels les cervidés se cachent dans les fourrés. L'éléphant est le plus gros animal terrestre. Il n'a pas besoin de se cacher car ils sont peu nombreux à oser s'attaquer à lui.

93 **Le sous-sol pullule aussi d'animaux.** Le ver de terre est un animal très courant ; il se nourrit de plantes pourries. Il est lui-même la proie de taupes qui creusent des galeries dans le sol.

INCROYABLE !

L'extrémité du nez en forme d'étoile de la taupe comporte des capteurs olfactifs qu'elle utilise pour trouver de la nourriture.

Nous devons prendre soin de la planète

94 De nombreuses matières utiles sont issues de la Terre. Elles servent à fabriquer des vêtements, des bâtiments, du mobilier, des canettes de boisson, etc. Certains matériaux comme ceux utilisés pour la construction durent longtemps. D'autres, notamment ceux servant à fabriquer les canettes, sont usagés le jour même de leur achat.

95 Dans le futur, il est possible que certaines matières s'épuisent. Les métaux se trouvent dans des roches appelées minerais. Lorsque les minerais seront épuisés, nous serons incapables de produire des métaux. Le bois est une matière quasi inépuisable puisque de jeunes arbres sont plantés en permanence. Nous devons néanmoins faire attention à ne pas le gaspiller car les arbres risquent de ne pas pousser aussi vite que nos besoins.

▲ Les déchets collectés au centre de recyclage sont transformés en matières utiles pour fabriquer les choses de la vie courante.

96 Nous pouvons faire en sorte que les matériaux durent plus longtemps grâce au recyclage. Le métal, le verre et le plastique usagés sont jetés, enterrés dans des décharges et ne sont jamais réutilisés. Aujourd'hui de plus en plus de personnes recyclent les matériaux, c'est-à-dire les renvoient vers les usines pour qu'ils soient réutilisés.

▼ **Voici quelques exemples de la façon dont nous détruisons notre planète. Nous devons trouver des moyens d'en prendre soin à l'avenir.**

97 Nous consommons des quantités phénoménales de combustibles pour fabriquer de l'énergie.

Les principaux combustibles sont le charbon et le pétrole, utilisés dans les centrales électriques. Le pétrole sert aussi à faire fonctionner les automobiles. Au fil du temps, ces combustibles s'épuiseront. Les scientifiques essaient de développer d'autres sources d'énergie, le vent et les vagues par exemple. D'immenses éoliennes sont déjà en fonctionnement.

98 L'air et l'eau peuvent être pollués par nos activités.

La combustion du charbon et du pétrole produit des gaz qui risquent d'acidifier l'eau de pluie. Celle-ci peut détruire les arbres et le sol. Les produits chimiques générés par la production industrielle sont de temps en temps déversés dans les rivières et les océans et mettent en danger la faune et la flore.

99 Les créatures vivantes peuvent être protégées.

De vastes superficies ont été déclarées parcs nationaux, la faune et la flore y sont protégées. Les visiteurs peuvent y venir pour découvrir végétaux et animaux.

100 La Terre a presque cinq milliards d'années.

Cette boule de roches en fusion s'est transformée en une planète où l'on vit et respire. Nous devons tout faire pour qu'elle le reste. Éteindre les lumières pour économiser l'énergie et recycler nos déchets sont des petites choses qui peuvent y contribuer.

INCROYABLE !

30 à 50 pour 100 de toutes les espèces vivantes risquent d'être en voie d'extinction au milieu du XXIe siècle.

Index